D0774397

Nous remercions le ministère du Patrimoine canadien,
la SODEC et le Conseil des Arts du Canada
de l'aide accordée à notre programme de publication

  Patrimoine   Canadian
canadien   Heritage

 Conseil des Arts   Canada Council
du Canada   for the Arts

ainsi que le Gouvernement du Québec
– Programme de crédit d'impôt
pour l'édition de livres
– Gestion SODEC.

Nous reconnaissons l'aide financière
du Gouvernement du Canada
par l'entremise du Programme d'aide au développement
de l'industrie de l'édition (PADIÉ) pour ce projet.

Illustration de la couverture:
Carl Pelletier pour Polygone Studio

Maquette de la couverture:
Grafikar

Montage de la couverture:
Ariane Baril

Édition électronique:
Infographie DN

Dépôt légal: 2ᵉ trimestre 2008
Bibliothèque nationale du Canada
Bibliothèque nationale du Québec

1234567890 IML 098

SÉTI, LE LIVRE DES DIEUX

SÉTI, LE LIVRE
DES DIEUX

DANIEL MATIVAT

roman

**ÉDITIONS
PIERRE TISSEYRE**
w w w . t i s s e y r e . c a

9300, boul. Henri-Bourassa Ouest, bureau 220
Saint-Laurent (Québec) H4S 1L5
Téléphone : 514-335-0777 – Télécopieur : 514-335-6723
Courriel : info@edtisseyre.ca

Catalogage avant publication
de Bibliothèque et Archives Canada

Mativat, Daniel, 1944-

Séti, le livre des dieux

(Collection Chacal ; 48) (Séti ; 1)
Pour les jeunes de 12 à 17 ans.

ISBN 978-2-89633-077-5

I. Pelletier, Carl. II. Titre III. Collection

PS8576.A828L58 2008   jC843'.54   C2007-942146-6
PS9576.A828L58 2008

1

Une fabuleuse découverte

Je ne vous dirai pas mon nom. Il vaut mieux que vous ne sachiez pas qui je suis. Élu ou maudit? Je l'ignore moi-même. Quand vous aurez lu cette histoire, il serait préférable que vous oubliiez jusqu'à mon existence. Dites-vous simplement que je suis un pauvre fou. Prenez cette confession pour une sorte de délire causé par une trop longue exposition au soleil du désert. Jetez ce livre que je regrette déjà d'avoir rédigé.

Résistez à l'envie de me retrouver, d'en savoir plus… et peut-être – qui sait? – de me voler ma découverte! Lequel d'entre vous, en effet, n'a pas rêvé d'assouvir ses désirs les plus inimaginables, de réaliser ses fantasmes les plus inavoués, de posséder une

7

fortune colossale, de dominer le monde, de jouir d'une éternelle jeunesse ou de séduire n'importe qui d'un seul regard ?

Or, si vous aviez entre vos mains cet objet merveilleux dont je suis devenu, par hasard, le dépositaire, vous pourriez avoir tout cela. Et, une fois comblés vos désirs les plus insensés, une fois enivré de votre puissance infinie, vous seriez comme moi. Vous n'auriez plus qu'une idée en tête : détruire ce cadeau empoisonné, vous en débarrasser par tous les moyens pour retrouver la sérénité de l'âme et pouvoir mourir en paix. Mais, hélas !, ce serait impossible, et l'idée d'être devenu, à votre tour, le gardien de cette « chose » à la fois si extraordinaire et si épouvantable vous remplirait sûrement d'un indicible effroi.

Tout a commencé en Égypte, il y a une dizaine d'années. Dans une oasis perdue, du côté de Barahiya, aux confins de la grande mer de sable du désert libyen, où mon équipe d'archéologues venait de mettre au jour une ancienne nécropole. Le chantier achevait et les fouilles, jusque-là, n'avaient rien donné de bien intéressant. Il s'agissait de tombes de simples ouvriers qu'on n'avait pas pris la peine d'embaumer et qu'on avait enterrés enveloppés dans de grossières toiles de lin. Ni amulettes précieuses, ni bijoux, ni inscriptions. De certains corps il ne restait que quelques ossements qui se brisaient comme du bois sec ou tombaient en poudre dès qu'on les manipulait. D'autres, par contre, ayant subi une dessiccation complète en raison de l'extrême sécheresse de l'air et du sable, s'étaient momifiés naturellement. Ceux-là avaient gardé sur leurs visages émaciés des restes d'expression qui pouvaient donner une idée de ce qu'ils avaient ressenti au moment de mourir. Leurs membres tordus, leurs bouches béantes et leurs orbites vides exprimaient quelque chose qui ressemblait à une sorte d'horreur sacrée. Beaucoup présentaient des blessures graves ou des mutilations qu'ils avaient dû subir au cours de la construction d'un hypogée[1] creusé quelque part dans les djebels[2] dominant l'oasis.

Mais quel pharaon ou quel haut dignitaire aurait souhaité se faire inhumer si loin du Nil

---

1. Tombe souterraine.
2. Montagnes.

et de la vallée des Rois? Pourquoi aurait-il voulu goûter les délices de la vie éternelle dans un coin aussi désolé, à moins d'avoir un terrible secret à cacher?

C'était absurde.

Comme la saison achevait, la plupart de mes collaborateurs avaient déjà quitté les lieux et j'avais moi-même commencé à licencier une partie de notre équipe quand l'idée me vint, juste avant de partir, d'aller justement fouiner dans ces collines de basalte qui dressaient au nord leurs masses sombres et déchiquetées.

— Tu connais ce sommet, là-bas? demandai-je à un de nos fellahs[3] en pointant, à l'horizon, le mont le plus élevé, dont la forme pyramidale m'intriguait.

L'homme secoua la tête et hésita longuement avant de me répondre.

— Ça, *sayyid*[4], c'est le Djebel-al-Mawta, la montagne de la Mort !

— Et pourquoi ce nom sinistre? m'étonnai-je.

Le paysan parut encore plus mal à l'aise.

---

3. Paysan égyptien.
4. « Monsieur » en langue arabe.

— On dit qu'un démon redoutable y est enfermé avec ses trésors. D'après mon grand-père, il se pourrait que ce soit l'antre d'Iblis[5] en personne. Toujours est-il que de tous ceux qui se sont aventurés là-bas, pas un n'est revenu...

Ce n'était pas la première fois que j'entendais ce genre d'histoires teintées de terreur superstitieuse, et ma longue expérience m'avait appris qu'il ne fallait pas les traiter comme de vulgaires légendes locales mais, au contraire, comme de précieux témoignages d'événements bien réels simplement déformés par la tradition populaire. Cela ne fit donc que piquer un peu plus ma curiosité et je décidai d'organiser une exploration sommaire du site, quitte à revenir plus tard avec davantage d'équipement et une armée de terrassiers.

D'emblée, l'aventure présenta des difficultés car deux hommes seulement acceptèrent de m'accompagner. Un jeune Cairote et un chamelier d'origine bédouine. De plus, je dus malheureusement renoncer à ma vieille land-rover à bord de laquelle je comptais faire

---

5. Le diable, dans le monde musulman.

monter tout le monde. Arbre de transmission brisée, elle avait rendu l'âme en traversant le lit d'un oued[6] à sec. C'est donc à dos de chameau et suivis d'un âne chargé de quelques outils que nous quittâmes la palmeraie et les murailles blanchies de l'oasis. Comme c'était la coutume, une foule de curieux nous accompagna jusqu'aux limites du village. Des enfants hurlaient, des chiens aboyaient. Le menton tatoué et le front orné de disques d'argent, des femmes en longues robes noires ululaient de manière lugubre. D'habitude, ces manifestations sonores ne m'indisposaient pas outre mesure, mais cette fois, sans que je puisse m'expliquer pourquoi, elles éveillèrent chez moi une sourde angoisse, comme si je ne devais jamais revoir ce petit paradis perdu au milieu du désert, avec ses maisons de briques de terre rouge à l'ombre des palmiers et des oliviers.

Il nous fallut trois jours de marche au rythme lent et chaloupé de nos montures pour atteindre le pied de la montagne.

Le paysage avait un aspect lunaire. Chauffé à blanc par le soleil, c'était un véritable enfer

---

6. Rivière des régions arides asséchée une partie de l'année.

minéral de roches basaltiques d'une couleur noirâtre sillonnées par endroits de coulées ferrugineuses rougeâtres, comme si la pierre avait laissé suinter des filets de sang.

Tout à coup, le bourricot qui, devant moi, escaladait le sentier escarpé à peine visible trébucha et roula sur la pente, déclenchant un éboulis. Nous descendîmes porter secours à l'animal avec l'espoir que, dans sa chute, les outres de peau de chèvre contenant nos réserves d'eau n'avaient pas éclaté.

À notre grande surprise, l'âne avait disparu !

Aucune trace de lui ni de son bât[7]. Résigné à subir cette perte déplorable, j'allais donner l'ordre de nous remettre en route lorsqu'un de mes chameliers, qui répondait au nom d'Omar, s'écria :

— Ici, *sayyid* ! Je l'entends !

Il avait raison. La malheureuse bête était bien là. Elle avait chuté dans un trou que l'avalanche de pierres avait découvert, et en prêtant l'oreille dans l'anfractuosité, je pouvais moi aussi percevoir ses braiments désespérés.

Nous dégageâmes les cailloux qui obstruaient en partie l'entrée de la cavité. L'âne

---

7. Dispositif permettant de charger un animal.

était toujours invisible. Apparemment, il avait glissé au fond de ce qui ressemblait à une galerie. Je déplaçai encore quelques roches. Subitement, mon cœur se mit à battre plus fort à la vue d'une marche taillée dans le roc.

— Apporte-moi une lampe-torche! criai-je à Ahmed, mon autre employé, qui était resté auprès des chameaux.

Je ne m'étais pas trompé: c'était bien un escalier qui descendait en pente douce et débouchait sur un corridor encore marqué des coups de pic des carriers[8] qui avaient travaillé dans ce souterrain.

Nerveux, Omar, le citadin, et Ahmed, l'homme du désert, se tenaient prudemment à l'entrée du tunnel. Ils m'aidèrent à sortir le pauvre baudet de sa fâcheuse position, mais dès qu'ils firent mine de vouloir venir me rejoindre, je leur ordonnai:

— Vous deux, restez là!

Ils exprimèrent leur approbation, l'air visiblement soulagé.

Je dirigeai le faisceau lumineux de ma lampe sur les parois recouvertes de plâtre. Des peintures surgirent des ténèbres et je

_____
8. Tailleurs de pierres.

reconnus tout de suite certaines scènes que j'avais déjà admirées dans les tombes royales de la région de Thèbes. Pharaon chassant dans les marais du delta. Pharaon bandant son arc du haut de son char de guerre. Paysans moissonnant dans les champs ou débitant des quartiers de bœufs...

Je m'enfonçai encore un peu plus dans les entrailles de la terre pour déboucher soudain dans une salle soutenue par des piliers sur lesquels était peint un cortège de dieux accueillant le souverain dans le monde de l'au-delà. Le plus immédiatement reconnaissable était bien sûr l'embaumeur céleste Anubis, la divinité à tête de chacal, penchée sur la momie du roi.

J'avançai avec précaution, me sentant envahi par une peur sourde mêlée d'une excitation extrême. Qu'allais-je trouver au fond de ce dédale de couloirs et de chambres funéraires? Je fis encore un pas...Tout à coup, je sentis le sol se dérober sous moi: un puits! Je retrouvai mon équilibre de justesse, mais ma lampe m'échappa. Elle tournoya dans le vide et alla se fracasser plusieurs dizaines de mètres plus bas.

Plongé dans le noir, je tâtonnai autour de moi afin de trouver de quoi m'éclairer. J'avais l'impression de piétiner des brindilles, qui craquaient sous mes brodequins de cuir. Parfois, il me semblait que je butais également sur des caisses qui, elles aussi, se désintégraient dès que je les heurtais, dégageant une fine poudre qui me piquait la gorge et me faisait tousser.

Je me mis à quatre pattes et fouillai le sol de mes mains. Mes doigts rencontrèrent des bouts de tissus. J'en fis un bouchon que je liai autour d'un bâton. Puis, je sortis mon briquet et embrasai ce flambeau improvisé.

Ce que je vis alors à la lueur de la flamme m'arracha un cri d'horreur. Ce que j'avais pris pour des branches sèches étaient en fait les restes de douzaines de momies desséchées, entassées pêle-mêle, qui tombaient en miettes dès qu'on les touchait. Les caisses, elles, étaient des cercueils de bois de sycomore qui, eux aussi, jonchaient la pièce dans le plus invraisemblable des désordres. Quant à ma torche, les chiffons qui l'entouraient étaient des bandelettes arrachées à des cadavres et le manche, un fémur humain!

Du coup, la panique s'empara de moi. Oubliant toute prudence, je rebroussai chemin en courant vers le cercle de lumière de l'entrée de la tombe avec la même précipitation que s'il s'était agi des portes ouvertes de l'enfer.

Omar et Ahmed m'y attendaient. En me voyant surgir ainsi, livide, le visage noirci par la fumée, ils eurent un mouvement de recul.

— Allez-vous bien, *sayyid*? On dirait que vous vous êtes battu avec un djinn[9]…

J'eus besoin du reste de la journée et d'une bonne nuit de sommeil pour remettre de l'ordre dans mes esprits. Puis, le lendemain, à l'aube, je pénétrai de nouveau dans la tombe. Cette fois, j'avais apporté un fanal à gaz, une pelle courte de l'armée, une barre à mine et un vieux lüger[10] allemand acheté dans un bazar d'Alexandrie. Pourquoi avais-je pris cette arme? Je ne sais pas. Toujours est-il que je n'allais pas tarder à me féliciter de cette décision. En effet, à peine franchi le seuil du tombeau, j'entendis quelques pierres rouler et je perçus un mouvement lent accompagné d'un sifflement caractéristique. Je reculai sans faire de gestes brusques. La créature sembla se replier sur elle-même en continuant d'émettre son bruit menaçant. J'ouvris

---

9. Génie ou démon dans les légendes arabes.
10. Pistolet automatique de 9 mm.

l'étui suspendu à ma ceinture et en retirai mon pistolet. L'animal parut enfin, dressé à la verticale, son capuchon gonflé et son dard sortant entre ses crocs.

Un cobra!

Sans même réfléchir, je pointai mon arme sur lui et fis feu à deux reprises. Le serpent se cabra. Il fouetta l'air de sa queue, se redressa pour une dernière attaque. Je tirai de nouveau. Il s'écroula.

Ahmed, alerté par les détonations, accourut:

— Allah me protège! s'exclama-t-il, je n'ai jamais vu un monstre pareil!

Je pris le serpent juste en dessous de la tête et le tendis au bédouin.

— Débarrasse-moi de cette saleté!

L'arabe le souleva avec dégoût.

— Tu ne devrais pas entrer là-dedans, *sayyid*, c'est un mauvais présage.

Je haussai les épaules et descendis les marches.

La tombe suivait le plan habituel. Au-delà du couloir d'accès et de la salle du puits s'ouvrait une vaste antichambre à laquelle se greffaient de petites pièces latérales encombrées de mobilier funéraire: lits à têtes de vaches, coffrets à joyaux, trônes dorés, jeux de senet[11], vases canopes[12], *chaouabtious*[13], lacrymaires[14], fioles de parfum et de cosmétiques… Couverts de hiéroglyphes, les murs étaient décorés de somptueuses fresques représentant la déesse Maât[15] aux ailes protectrices largement étendues et, en dessous d'elle, le jugement des morts ainsi que la course souterraine du dieu solaire pendant les douze heures de la nuit. Magnifique entre toutes était la voûte de la pièce où, sur un fond bleu, était peinte une immense femme au corps constellé d'étoiles dans laquelle je reconnus Nout, la déesse du ciel et de la nuit.

Je n'en doutais plus: cette tombe était une tombe royale.

Je ne me lassais pas d'admirer ces peintures millénaires qui chantaient la gloire de ce pharaon inconnu dont le nom était gravé

---

11. Jeux mêlant le jeu de dames et le backgammon. Ils se jouaient sur un damier de trente cases et avec des dés.
12. Vases d'albâtre dans lesquels on conservait les entrailles du défunt.
13. Statuettes aux traits du mort qui lui servaient de doubles dans l'autre monde.
14. Vases servant à recueillir les larmes versées par ceux qui avaient assisté aux funérailles.
15. Déesse de l'harmonie et de la justice.

un peu partout dans les cartouches[16]: *Séti, fils de Rê, roi de la Haute et de la Basse-Égypte, taureau puissant, Horus[17] d'or aimé d'Amon[18] à qui la vie est donnée éternellement.*

Qui était cet homme? Pourquoi, avant de comparaître devant les juges infernaux, avait-il proclamé: *Je n'ai pas péché contre les dieux. Je n'ai pas tué ni ordonné de tuer des innocents. J'ai donné du pain à ceux qui avaient faim. J'ai désaltéré ceux qui avaient soif. J'ai habillé ceux qui étaient nus. Mon cœur est pur et je ne crains pas qu'on le mette sur le plateau de la balance. La plume de Maât prouvera que je n'ai pas menti[19]...*

Pourquoi ne paraissait-il pas sur la liste des souverains d'Égypte transcrite par Manéthon[20]? S'agissait-il d'un nouveau

---

16. Encadrement servant à isoler les noms des souverains dans les textes hiéroglyphiques.
17. Dieu à tête de faucon. Il symbolisait le ciel. Ses yeux étaient le Soleil et la Lune. Les pharaons s'identifiaient à lui.
18. Dieu suprême du panthéon égyptien.
19. À la mort, l'âme du mort était pesée en présence du dieu Anubis. La plume de Maât servait de poids. Si l'âme chargée de péchés pesait trop lourd, elle était jetée à un monstre, la Dévoreuse, qui s'en repaissait et l'anéantissait à jamais.
20. Manéthon de Sébennytos (IIIe siècle av. J.-C.), prêtre qui dressa la liste officielle des anciens pharaons.

Toutankhamon? Ou d'un hérétique dont les successeurs avaient fait buriner le nom sur les monuments afin d'en effacer à jamais le souvenir?

Mystère...

Ce tombeau, d'ailleurs, soulevait bien d'autres questions. À lire les inscriptions sur les sarcophages qui y avaient été entassés, il avait servi de cache pour mettre à l'abri des voleurs les dépouilles de plusieurs rois et reines de la XIXᵉ dynastie[21], une période de décadence marquée par des guerres incessantes et des crises de palais. Cela justifiait les malédictions peintes sur certains cercueils et destinées à effrayer les pillards éventuels :

Maudits soient ceux qui troubleront le repos de ceux qui sont ici ! Ceux qui rompront les sceaux mourront d'une maladie que nul ne pourra deviner ni guérir. Et le premier qui mourra sera celui qui vient de lire ces lignes...

Cela, sans doute, expliquait aussi le caractère hétéroclite des objets éparpillés un peu partout. Mais rien ne pouvait justifier, en ces lieux, la présence anachronique de certaines autres antiquités. Ici, c'était un casque

---

21. Dynastie fondée par Ramsès Iᵉʳ (1320 à 1200 av. J.-C.).

21

et un bouclier d'or d'époque alexandrine. Là, un reliquaire médiéval, un calice orné de gemmes et des manuscrits enluminés. Plus loin, une épée et un olifant d'ivoire. Des mortiers et des cornues. Des cartes et des globes terrestres. Ailleurs, des tableaux de grands maîtres italiens, des cassettes remplies de ducats et de doublons espagnols. Cela n'avait aucun sens. Que faisaient ces trésors provenant de toutes les époques et des quatre coins du monde dans un tombeau vieux lui-même de plus de trois mille ans ?

Des voix lointaines me tirèrent de mes réflexions.

— *Sayyid! Sayyid!* Tout va bien ? Vous avez trouvé quelque chose ? Avez-vous besoin d'aide ?

C'était mes deux compagnons qui, ne me voyant pas revenir, avaient bravé leur peur et pénétré dans le corridor menant à la première salle.

Je ne savais pas si je pouvais leur faire entièrement confiance. Comment réagiraient-ils à la vue de telles richesses ? Qui me disait que l'un d'eux, rendu fou de convoitise, ne me trancherait pas la gorge ?

— Il n'y a rien ! criai-je. La tombe est vide. Que des murs décorés dont je viendrai peut-être relever les dessins un peu plus tard... N'allez pas plus loin. C'est trop dangereux ! Je vous rejoins.

Les deux ouvriers, d'abord inquiets, retrouvèrent rapidement leur bonne humeur quand je leur annonçai que nous n'avions plus rien à faire dans les parages et que nous retournions à Barahiya.

— Tu fais bien, *sayyid*, me félicita Ahmed en enfourchant son chameau et en lui talonnant les flancs pour le forcer à se relever. Il ne faut pas réveiller le diable qui dort.

Nous retournâmes donc à l'oasis et je m'arrangeai pour répéter un peu partout que la tombe découverte ne différait pas de ces milliers d'autres sépultures pillées depuis des siècles entre Kharga et Siouah. Ensuite, quand ma land-rover fut réparée, je fis semblant de plier bagage et pris la piste menant à la côte, puis de là, à Alexandrie. Mais, une semaine plus tard, j'étais discrètement de retour avec tout le matériel pour explorer plus à fond le tombeau, bien décidé à tenir les curieux à l'écart, dussé-je faire sauter l'entrée de l'hypogée à la dynamite.

Une tempête de sable ayant bouleversé le paysage, j'eus quelque difficulté à retrouver l'emplacement, jusqu'à ce que j'aperçoive dans le ciel un vol de vautours qui tournoyaient au-dessus de la montagne. Je me dirigeai dans cette direction et finis par comprendre la raison de leur présence en voyant deux de ces charognards se poser sur un rocher et se disputer à coups de bec les restes du serpent que j'avais tué les jours précédents. À mon approche, les oiseaux aux longs cous dénudés battirent des ailes et allèrent se poser un peu plus loin.

L'entrée de la tombe s'était considérablement ensablée et je dus pelleter une bonne heure avant de réussir à dégager une étroite ouverture par laquelle je réussis à me glisser en rampant.

Cette fois, j'avais prévu des câbles reliés à la batterie de mon auto et, à la lumière crue des ampoules que j'installai dans chacune des salles, l'endroit prit un aspect plus rassurant.

D'emblée, je constatai que je mettrais probablement des années à répertorier toutes les merveilles accumulées autour de moi mais, pour l'instant, ce n'était pas ma préoccupation principale. Je devais plutôt percer la chambre funéraire dans laquelle reposait peut-être le maître de ce royaume souterrain.

Je sondai les parois. J'examinai les fausses portes que l'architecte avait multipliées un peu partout pour tromper les voleurs. Au fond de l'antichambre se dressaient deux statues de bois armées d'une massue et un chien Anubis, assis dans la position du sphinx. L'oreille dressée, il semblait monter la garde devant un mur aveugle. J'eus l'intuition que ce que je cherchais se trouvait derrière et, pour en avoir le cœur net, je cognai dessus à l'aide de ma pioche. Le crépi se détacha, révélant au jour une double rangée de briques crues.

Je ne m'étais pas trompé.

Deux ou trois coups supplémentaires du bout de mon outil suffirent pour défoncer cet obstacle et ménager un trou pour y introduire mon fanal. La flamme éclaira une vaste pièce au centre de laquelle trônait un sarcophage d'albâtre, aux coins duquel étaient sculptées quatre déesses[22], les bras étendus. Le reste de la chambre paraissait vide mais, phénomène inexpliqué, celle-ci baignait dans une étrange lumière phosphorescente qui semblait vibrer au rythme d'une musique céleste à peine audible pour une oreille humaine.

---

22. Ces quatre déesses protectrices sont Isis, Néphtys, Neith et Selkit.

25

Je n'avais jamais rien vu de tel et je ressentais un profond malaise, comme si je venais d'entrer dans le saint des saints d'un sanctuaire interdit.

Je n'étais cependant pas au bout de mes surprises. En effet, bien que j'aie déjà examiné de nombreuses dépouilles royales, ce qui m'attendait dépassait tout ce que je pouvais imaginer.

Le sarcophage contenait bien une momie, mais celle-ci n'était pas enveloppée de bandelettes ni munie des traditionnelles amulettes en forme de scarabée ou de colonne-djed[23]. Le défunt – croyez-le ou non! – était habillé d'une élégante redingote grise et portait un chapeau haut-de-forme comme en arboraient les touristes anglais en Égypte au siècle dernier. Plus étonnant encore: sa peau avait gardé son élasticité et une teinte rosée qui n'avaient rien à voir avec l'aspect parcheminé ou l'habituelle texture noirâtre des momies enduites de bitume et de résine après avoir trempé dans le natron[24].

---

23. Talisman représentant la colonne vertébrale d'Osiris, symbole de fermeté et de stabilité.
24. Carbonate de sodium hydraté servant à la conservation des momies.

Paupières fermées, l'homme semblait dormir, le sourire aux lèvres. Un sourire légèrement ironique, comme celui que j'avais déjà eu l'occasion d'observer sur certains bustes du musée du Caire. Un sourire qui exprimait toute la sagesse du monde !

Oui, vraiment, cet homme inspirait le respect et, malgré mon extrême curiosité, je restai longtemps à l'admirer tout en me posant mille questions à son sujet. Il était évident que ce corps ne pouvait être celui d'un pharaon du Moyen Empire, bien que ses traits fussent tout à fait ceux d'un Égyptien de lignée royale. Le même noble profil, le crâne rasé, le menton légèrement proéminent, le nez droit, les yeux en amande et, surtout, les lobes d'oreilles percés et déformés par le port de lourdes boucles. Il y avait en outre d'autres indices troublants tendant à prouver l'illustre ascendance de cet inconnu. En tout premier lieu, les bagues qu'il portait aux doigts. L'une, dont l'antiquité ne faisait aucun doute, ressemblait à un sceau. Je fus étonné de lire sur son chaton le même nom que celui que j'avais déchiffré à plusieurs reprises sur les parois du tombeau : SÉTI. L'autre était encore plus significative : elle représentait un œil d'Horus, le talisman habituel des puissants de l'ancienne Égypte, symbole de la victoire du Bien contre le Mal, gage d'invincibilité et de clairvoyance.

Néanmoins, ce ne furent pas ces bijoux qui m'apportèrent la réponse à mes interrogations. Ce qui allait m'éclairer et aussi bouleverser à jamais mon existence, c'était ce que ce mystérieux personnage tenait étroitement serré sur sa poitrine. Il s'agissait d'un cylindre semblable à un rouleau de papyrus, mais fait d'une mince feuille d'or sur laquelle étaient gravés des hiéroglyphes d'une incroyable beauté qui correspondaient à une langue si archaïque que j'étais incapable de les lire, à l'exception de ceux inscrits dans un cartouche où je reconnus les trois caractères formant le nom du dieu Thot, le scribe des dieux, seigneur du temps, régisseur des cycles de la Lune et de la lumière, dieu de l'intelligence et de la raison.

Voilà donc ce que ce Séti avait possédé de plus précieux: un livre! Ou plutôt, une sorte de grimoire vieux de milliers d'années. Cela voulait dire que cet homme n'avait pas été seulement un roi. Il avait dû aussi pratiquer la magie. Peut-être même – qui sait? – avait-il détenu des secrets si lourds de conséquences qu'il avait voulu les emporter dans l'autre monde…

Par nature, je n'étais pas enclin à croire au surnaturel. Je me voyais pourtant forcé d'avouer que cette découverte remettait en cause pas mal de mes certitudes scientifiques. Ainsi, parmi toutes les hypothèses qui germaient dans ma tête, il en était une que j'osais à peine envisager. Tout du moins jusqu'à ce que je me rende compte qu'au fond de la tombe, précisément sous les pieds du défunt, reposait ce qui ressemblait à un journal: un gros livre relié de maroquin rouge contenant des écrits sur papyrus, mais aussi des textes sur parchemins et papiers de toutes sortes, écrits en grec, en latin, en lettres gothiques, en caractères d'imprimerie…

Je tenais la clé de l'énigme.

Je vous livre la première partie de ce que je viens de traduire. J'avoue que j'ai de la difficulté à croire que tout ce qui y est raconté soit réellement arrivé. Cela remet en question tout ce que nous croyions savoir sur les racines de notre civilisation et, plus terrifiant encore, cela risque de changer le destin de l'humanité.

Rien de moins.

Jugez-en vous-même.

II

Le scribe
et la princesse

Je suis Séti. Avant de devenir un dieu vivant, avant de coiffer la double couronne blanche et rouge[25] et de croiser sur mon torse la crosse et le flagellum[26], avant de régner sur mes millions de sujets et sur le cœur de ma bien-aimée Néfer, j'ai été un homme du peuple. Un homme soumis, comme les autres, au pharaon qui s'était emparé du pouvoir en ce temps-là : Iarsou le Syrien, un scélérat exécré de tous.

---

25. La double couronne, ou *pschent*, symbolisait la souveraineté des pharaons sur les deux parties du pays. La couronne blanche représentait la Haute-Égypte, la rouge, la Basse-Égypte.
26. La crosse en forme de houlette de berger et le flagellum en forme de fouet étaient les insignes royaux des pharaons.

 31

Enfant du delta, je vivais à Bubastis et mon avenir était tout tracé. Simple apprenti, fils de scribe[27] et petit-fils de scribe comme mon père, le sage Sennéfer, je passais des heures à apprendre le métier. Accroupi, les jambes repliées sous moi, je recopiais les textes sacrés, frottais mon calame[28] mouillé sur les palettes d'encre de mon plumier et essayais de calligraphier sans fautes les figures et les caractères de notre langue si complexe.

Mon père, qui était au service de la maison royale et du grand vizir, était un maître sévère. Il m'élevait seul, bien qu'il fût très affairé. En effet, il avait la charge hautement importante de prédire la crue bienfaisante du Nil[29] en mesurant soigneusement la hauteur des eaux. Par ailleurs, chaque année, il comptait les sacs de blé que les paysans devaient verser en guise d'impôts dans les greniers de Pharaon.

Sennéfer était respecté de tous parce qu'il s'acquittait de ses tâches avec une rigoureuse honnêteté.

---

27. Fonctionnaire chargé des écritures.
28. Tige de roseau taillée servant de plume pour écrire.
29. La crue annuelle du Nil, en inondant les terres, recouvrait celles-ci de limon fertile. Elle était considérée comme une bénédiction et était attendue comme un cadeau des dieux.

En ce temps-là, je n'étais encore qu'un enfant et ne portais la perruque que depuis quelques mois[30]. À vrai dire, je n'étais pas un très bon élève. Je mordillais ma tige de roseau en rêvassant. Je tachais mon pagne et j'avais toujours les mains noires. Je faisais plein de fautes d'orthographe que mon père corrigeait patiemment à l'encre rouge[31]. Je me plaignais sans arrêt.

— Père, pourquoi écrire sur ces stupides morceaux de poterie[32] ?

— Parce que le papyrus coûte cher, mon fils, et tu m'en gâcherais des rouleaux entiers si je te laissais faire. Voyons, Séti, applique-toi !

— Mais, je fais de mon mieux, père…

— Il faut travailler, encore et encore. Souviens-toi des paroles du grand

---

30. Les enfants, à 10 ou 12 ans, coupaient leur natte et troquaient celle-ci pour la perruque. Ils cessaient également de se promener nus et portaient le pagne.

31. L'encre noire à base de suie servait à écrire les textes ordinaires. La rouge, faite d'ocre ou d'hématite, était utilisée pour souligner les passages plus importants ou corriger les fautes. L'encre prenait la forme d'une poudre mélangée à de la sève de papyrus qui donnait une pâte qu'il fallait diluer avec de l'eau comme on le fait aujourd'hui avec la gouache.

32. Les éclats de poteries cassées (*ostracas*) servaient de brouillons et de blocs-notes.

Ptahhotep[33] : *Il n'a pas été assigné de limites à l'Art. Il n'est pas d'artiste qui atteigne à l'entière excellence.*

— C'est dur…

— Ne te plains pas. Dis-toi que tu fais le plus beau métier du monde. Tu préférerais peut-être manier la rame sur le fleuve ou la houe dans les champs ? Regarde, tu as mal dessiné cet ibis[34] et ce personnage est à l'envers : il ne regarde pas dans la bonne direction…

Je soupirais :

— Combien de signes devrai-je encore apprendre ?

— À peu près cinq mille. Soixante juste pour ceux qui représentent des oiseaux.

— Tant que ça ! m'écriais-je, découragé, mordillant mon jonc[35] avant de le coincer derrière mon oreille.

J'étais si jeune et si naïf, à l'époque. Je préférais jouer dehors à la balle ou aux

---

33. Moraliste ayant vécu sous la Ve dynastie (2500 av. J.-C.).
34. Oiseau échassier dont l'image était utilisée dans les hiéroglyphes.
35. Le scribe mordillait son calame pour que l'extrémité soit souple comme un pinceau. Il avait toujours une tige de roseau de rechange glissée derrière l'oreille.

osselets, ou encore agacer les filles en leur tirant des boulettes à l'aide de ma sarbacane. Mais par-dessus tout, j'aimais m'amuser avec ma chatte dans le jardin. Elle s'appelait Doucette[36], et quand elle ne dormait pas le nez dans ses pattes, elle passait son temps à essayer d'attraper les poissons qui nageaient parmi les nénuphars de notre bassin.

Je l'adorais sans savoir que bientôt, à cause d'elle, ma vie allait basculer.

Doucette était une chasseuse remarquable. Elle ne se contentait pas de traquer sans pitié les rats qui grignotaient notre grain, elle empêchait aussi les scorpions et les serpents de s'introduire dans notre maison.

Or, un jour, alors que je dormais allongé sur ma natte, un serpent à lunettes parvint à se faufiler dans ma chambre. Aussitôt ma petite chatte se mit à gronder avant de se jeter vaillamment sur la bête. La lutte fut brève. D'un coup de croc, Doucette brisa net le cou de l'intrus, qui retomba tout flasque sur le plancher.

Éveillé par le bruit, je pris Doucette sur mes genoux pour la caresser. Elle fut tout à coup saisie de spasmes et sa tête s'affaissa.

---

36. « La Douce » était le surnom favori des chats égyptiens.

35

Ma pauvre chatte avait été piquée, et le venin mortel du reptile venait de faire son œuvre funeste avec une vitesse foudroyante.

Je fus inconsolable et en signe de deuil, comme c'était la coutume, je me rasai les sourcils avant d'aller trouver Sennéfer pour le supplier :

— Il faut emmener Doucette au temple afin qu'elle soit embaumée et puisse goûter à la vie éternelle.

Mon père acquiesça en voyant ma peine. Le jour même, j'apportai donc aux prêtres de Bastet[37] le corps de ma fidèle compagne de jeu enroulé dans un linceul. Il y avait foule dans la grande salle où se dressait la statue de la bonne déesse, avec son sistre[38] et son panier à la main. Je dus attendre longtemps avec ma pauvre Doucette dans les bras. D'autant plus que, parmi les pèlerins qui faisaient la queue devant moi se trouvait un

---

37. Divinité lunaire, fille de Rê, le dieu solaire et sœur de Sekhmet, la déesse à tête de lionne. Bastet, déesse de l'amour, présidait aux naissances, protégeait la famille et accordait la fécondité. Sekhmet, elle, au contraire était la déesse de la guerre et du feu destructeur.
38. Instrument de musique formé d'un cadre et de baguettes mobiles sonores.

membre de la cour apportant aussi un chaton mort.

— Qui est-ce ? demandai-je à un des gardes du temple.

— La princesse Néfer, la fille de feu notre roi Ramsès-Siptah. Notre future reine en personne.

Jamais je n'avais approché un si haut personnage. Je me haussai sur la pointe des pieds pour voir celle dont tout le monde vantait la grande beauté[39].

Elle avait mon âge et elle pleurait à chaudes larmes. Svelte, la poitrine menue, les jambes longues, les cheveux noirs et brillants tout frisottés, elle était très belle, dans sa robe de lin diaphane.

Ce fut un des prêtres au crâne rasé qui me sortit de ma torpeur.

— Tu as de quoi payer ? Donne !

Je lui tendis mon offrande : une coupelle d'argent remplie de petits morceaux de lapis-lazuli[40].

---

39. « Néfer » signifie « belle ».
40. Les Égyptiens n'avaient pas de monnaie mais utilisaient des valeurs de troc avec, comme étalon, une unité de poids, le deben (90 g), dont on utilisait la valeur en cuivre, en argent ou en or pour les échanges. Par exemple, un bœuf valait 130 debens de cuivre.

Il m'arracha la dépouille de Doucette et me dit de revenir dans une semaine.

Quand je sortis du temple, j'aperçus de nouveau la princesse, installée dans son palanquin. Néfer aussi avait abandonné son animal de compagnie aux mains expertes des embaumeurs. Elle continuait de pleurer.

Je me présentai au temple huit jours plus tard, comme convenu. Une foule de pieux visiteurs se pressait toujours à l'entrée du sanctuaire, et je dus encore une fois me mettre en rang pour récupérer la dépouille de Doucette et la descendre dans les catacombes où étaient entreposés les félins morts placés sous la protection de la déesse.

On me tendit une petite momie emmaillotée comme un enfant avec un masque de stuc supposément peint à l'image de ma chatte défunte.

Je m'étonnai :

— Vous êtes sûr que c'est ma Doucette ?

Le prêtre me répondit avec humeur :

— Oui, oui ! Dépose-la et va-t'en ! Je n'ai pas de temps à perdre !

Je pris la momie. Elle ne pesait presque rien et je ne pouvais croire qu'elle contenait vraiment les restes de ma malheureuse compagne.

Je ne savais pas quoi faire. Dans le souterrain où l'on m'avait fait descendre à la lueur des torches, des milliers de chats momifiés étaient entassés. Je finis par trouver un petit coin où placer Doucette. Puis, le cœur lourd, je retournai dans la grande salle grouillante de monde. À un moment, dans la file d'attente, quelques pèlerins s'impatientèrent. Il y eut alors une bousculade. Des cris. Des esclaves armés repoussèrent la foule. Pour échapper à la bastonnade, je poussai une porte et me retrouvai par hasard dans une sorte de vestibule où régnait une odeur atroce. Celui-ci donnait sur une autre pièce sombre : la chambre des embaumeurs !

Du sang maculait le sol, et sur la table de dissection étaient éparpillés les restes de dizaines de chats. Les ouvriers de la mort en remplissaient des manchons de momies comme on remplit des sacs de sable.

J'étais horrifié et je le fus encore davantage quand j'entendis un des officiants, coiffé d'un masque en forme de tête de chacal[41], dire à son aide :

---

41. Les embaumeurs enfilaient une sorte de fausse tête de bois sculpté aux traits d'Anubis.

— Nous allons manquer de chats pour répondre à la demande ; va m'en chercher d'autres.

Ce que je vis alors me glaça d'effroi. L'aide revint effectivement avec des chats, mais des chats VIVANTS. Une cage entière remplie de chatons miaulant misérablement qu'il prit un à un par le cou et tua en les étranglant ou en leur brisant le crâne sur le bord de la table de pierre.

Je mordis ma main pour étouffer un cri. Je venais de comprendre à quel commerce immonde se livraient ces monstres. Ils ne préparaient pas seulement les cadavres de chats selon les rites sacrés. Ils fabriquaient des momies en série qu'ils vendaient à gros prix aux visiteurs du temple soucieux de s'attirer la bienveillance de Bastet. Qu'importait ce que contenaient celles-ci : quelques ossements choisis au hasard, quelques morceaux de chair séchée et quelques chiffons pour compléter. Tout était bon et quand ces prêtres n'avaient plus rien pour confectionner leurs fausses reliques, ils n'hésitaient pas à tuer les pauvres bêtes qu'ils élevaient en grand nombre. C'était plus qu'un crime, c'était un sacrilège[42] !

---

42. En Égypte, le fait de tuer un chat était un crime punissable de mort.

Mais que pouvais-je faire ? Je n'étais qu'un gamin et je faisais face à des criminels sans scrupules, vêtus de tabliers ensanglantés et armés de couteaux tranchants. Je choisis de battre en retraite sans bruit en me cachant derrière les colonnes et les tentures. Or, juste à cet instant, je butai contre quelqu'un, tapi dans l'ombre. Pris de panique, je levai le poing, prêt à défendre chèrement ma vie. L'inconnu étouffa un sanglot et se protégea le visage de son bras.

Je reculai, stupéfait. C'était la belle Néfer, les yeux exorbités de peur. Comme moi, la princesse venait fortuitement de découvrir l'odieux trafic auquel se livraient le grand prêtre de Bastet et ses complices.

Elle était terrifiée et, croyant que je faisais partie de ces barbares, elle gémit :

— Ne me faites pas de mal, je vous en supplie !

En d'autres circonstances, je serais sans doute tombé à ses pieds, humble et tremblant, mais là, conscient du danger qui nous menaçait tous deux, j'oubliai toute déférence et me permis de la prendre doucement par le bras.

— Il ne faut pas rester ici ! Venez, princesse !

— Mon petit chat, qu'en ont-ils fait ?

Je la consolai de mon mieux :

— Bastet est généreuse. Elle prendra soin de lui. Je suis sûr que dans l'autre monde, elle le gave déjà de pain trempé dans du lait et de petits poissons encore frétillants.

Elle me sourit, reconnaissante, et consentit à me suivre. Par chance, la porte de l'abominable charnier était restée entrouverte. Nous nous y engouffrâmes en courant, mais une masse énorme nous barra le passage.

— Que faites-vous là ? tonna une grosse voix.

Je reconnus le grand prêtre Sethnakht à son cou de taureau et à la peau de léopard qu'il portait, jetée sur son épaule droite. Je voulus lui échapper en entraînant la princesse. De sa poigne de fer, il me saisit par le bras.

Ça y est, pensai-je, *nous sommes perdus ! Il va nous tuer et nous finirons sous la lame de ces bouchers...*

À mon grand étonnement, dès qu'il vit Néfer, le puissant personnage changea d'attitude et se fit soudainement d'une servilité suspecte.

— C'est vous, princesse ? Vous vous êtes égarée ? Vos serviteurs doivent s'inquiéter...

Il n'est pas prudent de se mêler ainsi à cette foule tumultueuse sans être escortée !

Cependant, tout en s'adressant à Néfer sur un ton faussement aimable, le grand prêtre ne m'avait pas lâché. Au contraire, plus il s'excusait auprès de la princesse, plus il me broyait le biceps, comme s'il avait décidé d'assouvir sur moi sa rage dissimulée.

Il me secoua avec brutalité.

— Et ce jeune vaurien, c'est lui qui vous a forcée à entrer dans ce lieu interdit ? Que vous a-t-il montré ? Nul n'a le droit de violer les secrets du culte de la déesse. Il sera châtié. A-t-il osé vous toucher ? La colère de Pharaon s'abattra sur lui s'il vous a violentée. Il recevra cent coups de bâton ou finira ses jours dans les mines d'Éthiopie…

La princesse qui, heureusement, avait retrouvé son aplomb, protesta avec véhémence :

— Non, non ! Au contraire, ce courageux garçon m'a protégée de cette cohue bruyante. Je lui en suis reconnaissante ! D'ailleurs, je l'ai invité au palais…

Sethnakht fronça les sourcils, ne sachant plus si Néfer disait la vérité ou si elle mentait effrontément afin de mieux dissimuler qu'en fait, nous avions découvert son commerce impie.

Dans le doute, le grand prêtre me libéra et s'inclina cérémonieusement, la main sur le cœur.

— Pardonnez-moi, Altesse. J'ignorais que ce valeureux jeune homme faisait partie de votre suite. Quel est son nom ?

Néfer hésita, embarrassée.

Je m'empressai de répondre à sa place :

— Séti, fils de Sennéfer.

Sethnakht, la main toujours posée sur la poitrine, s'inclina encore une fois pour me saluer. Ce qui ne m'empêcha pas de lire dans son regard une lueur de férocité qui me fit frémir.

Au bout d'un moment, les gardes royaux qui recherchaient la princesse nous rejoignirent et entreprirent aussitôt d'écarter la masse des curieux. Un petit homme sec, richement vêtu d'une longue tunique et portant un large plastron à multiples rangs de perles d'ivoire, de cornaline et de turquoise, fendit la foule. Je n'eus aucune peine à l'identifier, car je l'avais déjà vu chez mon père. C'était le vizir Mérirouka, un personnage immensément riche et redouté.

Le haut dignitaire paraissait furieux. Sans aucun égard, il saisit la princesse par le poignet.

— Que faites-vous ici, petite sotte? Comment osez-vous désobéir aux ordres de Pharaon! Vous savez que vous ne devez pas quitter vos appartements avant votre mariage! Ni parler à personne!

Je m'attendais à ce que la princesse rappelle avec hauteur à ce méchant bonhomme que sa familiarité était un affront intolérable vis-à-vis un membre de la famille royale. À ma grande stupéfaction, Néfer baissa le menton comme une enfant prise en faute.

Le vizir eut un sourire mauvais et se tourna vers un des esclaves nubiens de son escorte:

— Ramenez-la immédiatement! ordonna-t-il.

Puis, il me dévisagea.

— Et celui-là, qui est-ce?

La princesse me jeta un regard effaré.

— Personne! Personne...

J'observai, impuissant, ces brutes qui emportaient la pauvre Néfer, fille d'Isis, descendante directe de la grande lignée des Ramsès, fille aînée du défunt Ramsès-Siptah et, de ce fait, dernière héritière légitime de la terre d'Égypte. Je la vis s'éloigner lentement et j'en eus le cœur brisé.

Je savais pourtant que tout cela me dépassait. Qu'un humble scribe n'était qu'un grain de blé et qu'une princesse était pour lui aussi inaccessible que les étoiles ornant la robe de la déesse du ciel. Néanmoins je ne pouvais m'empêcher de me désoler en me répétant sans cesse : *Pauvre princesse ! Elle va être forcée de se marier à Iarsou qui, selon la rumeur, a sans doute assassiné Ramsès-Siptah ! Elle n'a que douze ans et elle va épouser ce vieux pharaon quinquagénaire ! Elle va partager la couche de cet étranger qui a du sang sur les mains. Malheur à nous ! Malheur à moi !*

III

Mensonges
et trahisons

Cette année-là, en revenant de la première cataracte[43] et de l'île d'Éléphantine, mon père annonça, la mine réjouie :

— Hâpy[44], le bon génie de l'inondation, a fait preuve d'une grande bonté. Nous aurons un «bon Nil». Plus de seize coudées[45] : les récoltes seront bonnes.

À l'aube du jour de l'an[46], on transporta donc en grande pompe le dieu du Nil sur la terrasse du temple pour que les premiers

---

43. Les cataractes du Nil entre Assouan et Khartoum délimitaient des régions du pays. La première marquait la frontière entre l'Égypte et la Nubie.
44. Dieu du Nil et de la crue.
45. La hauteur idéale des eaux se situait à huit mètres. Une coudée valait 52,3 cm.
46. Le jour de l'an correspondait à la crue du Nil (17 au 19 juillet).

rayons du soleil l'éclairent, promesse d'une bonne année. Puis, à l'appel des prêtres, on ouvrit les digues et l'eau du fleuve envahit les champs partout, accueillie par les cris et les chants des paysans qui attendaient le flot fertilisant debout, sur leurs barques de roseau.

Mon père, comme toujours, ne s'était pas trompé. Quand vint Chemou, la saison des chaleurs, le blé et l'orge avaient déjà poussé dru. Puis arriva le temps des moissons. Les fellahs, armés de leurs faucilles à dents de silex, entrèrent alors dans cette mer dorée où ils commencèrent à scier le blé, pendant que leurs femmes ramassaient les andains dans leurs paniers d'osier. Plus loin, les bœufs tournaient lentement et piétinaient les épis, tandis que les vanneurs, armés de grandes pelles de bois, projetaient le grain en l'air pour le séparer de sa balle.

L'atmosphère était à la fête. On entendait des rires. Il faisait une chaleur accablante et, torses nus, les moissonneurs exténués s'arrêtaient souvent pour boire de l'eau ou vider à grands traits leur cruche de bière.

Mais Sennéfer ne les laissait pas souffler longtemps. Rien ne lui échappait. Tout était soigneusement noté sur les papyrus qu'il déroulait sur ses genoux : la surface de chaque lopin moissonné, le montant exact de la taxe due en nature au trésor royal, le nombre précis de sacs embarqués sur le dos des ânes et envoyés vers les silos de Pharaon.

Que ce soit une année de « trop de Nil » ou de « pas assez de Nil », mon père n'avait jamais fait la moindre erreur dans ses prévisions. Il lui suffisait de tenir dans sa main une poignée de cette terre limoneuse qui est la chair même de l'Égypte pour savoir si ce serait une année d'abondance ou de famine.

Or, cette année-là, Sennéfer était heureux, et lorsque le grand vizir annonça sa visite, il se prépara à l'accueillir avec la confiance sereine de celui qui a bien accompli son devoir.

C'était sans compter avec la fourberie de Mérirouka, qui se présenta avec son armée de policiers et de fonctionnaires.

Mon père se prosterna devant le représentant du souverain. Mais ce qui se produisit par la suite tétanisa de frayeur tous les villageois qui, eux aussi, étaient venus rendre hommage au représentant de Sa Majesté.

En effet, d'une violente poussée, le grand vizir fit mordre la poussière au vieux scribe qui, bientôt, se tordit de douleur sous la volée de coups de bâton que lui assénaient deux des serviteurs du méchant homme…

— J'ai reçu ton rapport et j'ai vérifié le niveau du grain dans nos greniers ! s'indigna le vizir. Il en manque. Ou bien tu t'es trompé dans tes calculs, ou bien tu as détourné une partie du blé qui revenait à Pharaon ! De deux choses l'une : soit tu es un incompétent, soit tu es un voleur !

Mon père protesta en gémissant :

— Seigneur, je vous assure que mes comptes sont justes…

— Tu mens ! hurla Mérirouka.

Plus furieux que jamais, le vizir fit un geste destiné à ses serviteurs et la bastonnade redoubla. Mon père était en sang, mais il clamait toujours haut et fort son innocence.

— Noble vizir, je vous jure par Maât que je n'ai pas prélevé un deben de la récolte. Le voleur, ce n'est pas moi. Si je mens, je ne veux plus manger ni boire, mais mourir ici[47] !

Cette obstination, loin de calmer le dignitaire royal, eut pour effet d'attiser encore plus sa fureur. Perdant toute mesure, il sortit un poignard, prit mon père à la gorge et, d'un geste rapide comme l'éclair, lui trancha le nez.

---

47. Formule consacrée pour jurer qu'on dit la vérité.

— Voilà qui t'apprendra à oser me tenir tête, misérable ! Et sois heureux que, dans ma grande clémence, je ne t'expédie pas comme les autres larrons de ton espèce au pays des sans-nez[48].

Défiguré, Sennéfer saignait abondamment. Pourtant, il se défendait encore et, à quatre pattes, cherchait à rassembler les papyrus souillés que le vizir et son escorte avaient dispersés.

À cette vue, je ne pus me retenir plus longtemps et, poussant un cri sauvage, je me précipitai, un caillou à la main, vers l'infâme tortionnaire. Vaine tentative. Un policier me barra aussitôt le passage et me garrotta solidement.

En réaction à cet assaut inattendu, Mérirouka, à la fois surpris et effrayé, s'était lâchement retranché derrière ses fiers-à-bras. Il revint sur le devant de la scène et me pointa du doigt, retrouvant instantanément son ton impérieux.

— Mettez-moi ce jeune rebelle au cachot et s'il résiste, jetez-le en pâture aux crocodiles du Nil.

---

48. Les voleurs à qui on coupait les oreilles ou le nez étaient souvent exilés dans une forteresse aux frontières de la Palestine.

Tout comme mon père, je fus effectivement jugé et condamné. Chassé de la profession de scribe. Réduit en esclavage.

Je n'étais plus rien.

Ce fut en prison que j'appris finalement, de la bouche d'un des prisonniers, la vérité au sujet des accusations portées contre Sennéfer.

C'était le vizir qui pillait les greniers. Presque tous les fonctionnaires de la maison royale étaient corrompus. Les prêtres aussi, en particulier Sethnakht. Pire encore, on disait que Pharaon lui-même, père nourricier de son peuple, gardien de la foi et de la justice, participait à cette mise à sac du pays. Dans sa soif insatiable d'or, il touchait sa part de toutes les rapines perpétrées à travers l'Égypte, qu'il s'agisse de s'approprier les défenses d'éléphant, les queues de girafe, l'encens du pays de Pount[49], le bois de cèdre du Liban, les peaux de léopard, les lévriers, les nains[50],

---

49. La Somalie et le Yémen.
50. Les nains étaient très recherchés. Ils continueront de l'être plus tard dans les cours d'Europe, où ils faisaient office de bouffons.

les singes ou l'ébène de Nubie. Tout, pour eux, était prétexte à s'enrichir.

Un des détenus du nom de Samout, qui venait d'être condamné à mort pour le plus abominable des crimes, me révéla même un secret si incroyable que j'eus de la peine à le croire.

— Il y a, me dit-il, à l'occident de Thèbes, une cité des morts, une vallée bien cachée[51] à laquelle on accède par le chemin de Rê et où nul n'a le droit de pénétrer en dehors des bâtisseurs de tombes et des prêtres qui y conduisent les défunts vers leur dernière demeure. Dans cette nécropole «des millions d'années», soixante rois et reines[52] ont été inhumés avec de fabuleux trésors. Eh bien! Mérirouka et Sethnakht ont soudoyé les gardiens de cette cité, et sur leur ordre, j'ai foulé Tadjeser, la terre sacrée du royaume d'Osiris, bravant la colère de Meretséger, la déesse cobra[53]. Pour eux, j'ai brisé les sceaux de ces tombeaux. Pour eux, j'ai sorti les momies de leurs sarcophages et je les ai

---

51. La vallée des Rois.
52. La vallée des Rois et des Reines contient 62 tombes connues.
53. Meretséger, déesse à tête de cobra, «celle qui aime le silence», veillait sur le repos des pharaons décédés.

dépouillées de leurs masques d'or, de leurs bracelets, de leurs parures de cou et de leurs pectoraux[54]...

— Mais tu as tout de même été pris? m'étonnai-je.

— Oui, m'avoua Samout. Et le plus injuste, c'est que lorsqu'ils n'ont plus eu besoin de moi, ce sont eux qui m'ont dénoncé aux *medjaious*[55] !

Le malheureux était en proie aux plus grands tourments à propos du sort qui l'attendait après son trépas. C'est sans doute la raison pour laquelle il tint à me fournir tous les renseignements sur ces vols en me faisant promettre d'écrire sa confession au complet et de bien noter son repentir, afin qu'au jour du Jugement dernier, il en soit tenu compte.

Ainsi, pendant trois jours et trois nuits, dans la cellule que nous partagions, ce voleur n'arrêta pas de parler. Quand, épuisé, il s'endormait, il faisait toujours le même cauchemar : il avait beau crier et supplier,

---

54. Bijou d'apparat cloisonné de pierres précieuses et de pâte de verre porté sur la poitrine.
55. Policiers du désert chargés de traquer les pilleurs de tombes.

Apophis[56], l'énorme serpent des enfers, avalait son âme.

Un de nos geôliers eut-il vent de ces confidences échangées à voix basse ? Toujours est-il qu'un matin, la police du grand vizir vint chercher ce misérable. Quand il revint, il pouvait à peine marcher et lorsque je voulus lui parler, il poussa un cri de gorge désespéré en ouvrant la bouche. Horreur ! On lui avait arraché la langue…

Il fut supplicié le lendemain. Afin qu'il souffre plus longuement, on le conduisit sur l'esplanade devant le palais, où on l'empala au lieu de le décapiter.

Combien de temps restai-je ensuite à croupir en prison parmi les rats et les immondices ? Il m'est difficile de m'en souvenir. J'avais beau essayer de faire le décompte des jours en gravant des chiffres sur les murs de terre, je me perdais continuellement dans mes calculs.

Je m'attendais, bien sûr, à ce qu'on vienne me chercher moi aussi. Mais, apparemment, les dieux veillaient sur ma personne.

---

56. Apophis était le serpent monstrueux des enfers qui cherchait à avaler le soleil et dévorait les âmes des damnés.

Par contre, je m'inquiétais pour mon père. Qu'était-il devenu ?

La nuit, je rêvais de la princesse. Elle m'apparaissait drapée dans un long voile plissé de mousseline de lin et ses cheveux bouclés, qui étaient piqués de fleurs de lotus, sentaient bon le kyphi[57]. Le réveil n'en était que plus pénible.

La touffeur des cellules était suffocante. Nous mourions de soif et la nourriture était infecte : une écuelle de soupe aux lentilles et aux pois chiches ainsi qu'un quignon de pain rassis dur comme de la pierre.

Les prisonniers grognaient et protestaient.

— Remerciez plutôt la générosité de Pharaon, répondaient les gardiens. C'est tout ce qu'il lui reste à vous distribuer. Ses greniers sont vides.

Un jour enfin, deux esclaves noirs coiffés de fichus rayés ouvrirent la porte de ma cellule. J'étais devenu si faible qu'ils durent me porter.

---

57. Huile parfumée dont la composition variait. Savant mélange de miel, de genêt, de genièvre, de safran, de myrrhe et d'encens. On s'en servait pour se parfumer le corps et les cheveux. Elle servait aussi à fumiger les temples et à désodoriser maisons et vêtements.

J'allais mourir et, curieusement, cette pensée ne m'effrayait plus. Seule la prévenance inattendue de mes présumés bourreaux m'intriguait. En effet, non seulement ne me brutalisèrent-ils pas, mais encore ils m'enduisirent d'huile parfumée, me ceignirent d'un pagne immaculé et me parèrent de bijoux somptueux. Je pensais rendre l'âme dans des douleurs inouïes et on me toilettait comme si, soudain, j'étais devenu un noble de haut rang.

Je n'y comprenais plus rien. Du moins jusqu'à ce qu'un des deux Nubiens qui ajustaient mes vêtements m'explique que quelqu'un à la cour avait intercédé en ma faveur auprès de Pharaon. J'avais été gracié, et mon père avait été rétabli dans ses fonctions. Devant la prison, attelé de deux chevaux blancs dont la tête était ornée de plumes, m'attentait le char qui devait me mener au palais.

Les deux gardes m'invitèrent à y grimper et c'est au grand galop de ces magnifiques coursiers que je partis vers la capitale.

Le voyage dura plusieurs jours et ce que je vis en route ne fit qu'augmenter encore ma révolte contre les criminels qui ruinaient le royaume. Dans tous les villages que nous traversions à bride abattue, un spectacle identique se déroulait. Dès notre approche, des paysans affamés se précipitaient, main tendue. Partout, nous croisions des vaches efflanquées et des enfants au ventre enflé par la faim.

— Pourquoi ces gens n'ont-ils rien à manger ? m'indignai-je. Qu'attend Pharaon pour distribuer de quoi les nourrir ?

Brandissant son fouet, le conducteur du char me répondit :

— Il le voudrait bien. Hélas ! c'est la famine ! Les récoltes ont été mauvaises !

— Mais c'est un mensonge ! protestai-je. Mon père avait prédit que cette année, le grain ne manquerait pas.

— Il s'est trompé, voilà tout. Le vizir répète qu'il y a trop de bouches à nourrir. Ses percepteurs ont beau forcer les portes pour exiger les impôts non payés, ils ont beau fouiller les maisons à la recherche de sacs de blé cachés, il n'y a plus rien.

Le char continua sa course en longeant la rive d'un des bras du fleuve. Je vis des fellahs qui y lançaient des sortes de mannequins enveloppés dans des linceuls blancs.

— Que font-ils ?

L'eau du fleuve se mit à bouillonner, fouettée par des queues écailleuses. Des mâchoires claquèrent…

Je frémis d'horreur en comprenant ce dont il s'agissait. Ces pauvres paysans, faute de moyens pour les enterrer, jetaient les dépouilles de leurs parents et amis dans les eaux où les sauriens s'en repaissaient.

Nous arrivâmes enfin au palais, dont nous franchîmes les deux portes monumentales. Des domestiques m'invitèrent à les suivre en empruntant les innombrables pièces des appartements royaux.

Dans la grande salle d'apparat soutenue par des centaines de colonnes en forme de papyrus géants, des armées de domestiques s'affairaient, transportant des plateaux de fruits, des cruches de vin ou des plats d'oie rôtie. Tout, ici, respirait le luxe et l'abondance.

Des sculpteurs taillaient la pierre à l'effigie de Pharaon. Des orfèvres martelaient des feuilles d'or. Dans les entrepôts, des filées d'ânes gravissaient les rampes menant au sommet de gigantesques silos hauts d'au moins quinze coudées, où des esclaves vidaient sans arrêt un flot continu de grain doré.

Voilà donc pourquoi le peuple d'Égypte mourait de faim! Ce qui lui revenait se trouvait ici, accaparé par Pharaon, Mérirouka et leurs complices.

Nous traversâmes encore d'autres salles où les femmes du harem se prélassaient au bord des piscines en écoutant de jeunes servantes presque nues qui jouaient de la harpe.

Un peu fatigué, je posai la question:

— C'est encore loin?

Mon guide souleva un store de roseau et m'introduisit sur une terrasse ombragée.

Une adolescente couronnée d'un diadème était assise sur une chaise basse. Je reconnus Néfer. Elle caressait un guépard apprivoisé qui ronronnait à ses pieds. Au bruit de mes pas, elle se retourna vivement.

— C'est vous?

— Oui, princesse.

Elle avait un regard effrayé.

— J'ai su ce qui vous est arrivé, à vous et à Sennéfer. Mon père respectait le vôtre… Séti, puis-je à mon tour vous faire confiance?

Jamais elle ne m'avait paru aussi belle. Ses yeux magnifiques étaient mouillés de larmes. Le fard de ses paupières et le khôl de ses cils avaient laissé des traces sur ses joues et sa voix tremblait. Quand elle se leva pour venir vers moi, je fléchis les genoux pour m'agenouiller devant elle.

— Ma vie est à vous, princesse !

— Je suis entourée d'ennemis. Pharaon veut m'épouser, mais dès que j'aurai légitimé sa lignée en lui donnant un enfant, il me tuera. J'en suis sûre. D'autres aussi veulent ma mort…

À ce moment, une servante entra avec un plat de raisins, de figues, de dattes et de gâteaux aux fruits. Mourant de faim, je tendis vivement le bras pour me servir. Néfer m'arrêta.

— N'y touchez pas ! Ils sont peut-être empoisonnés !

Je lui fis remarquer :

— Mais si Pharaon veut vous épouser, vous ne risquez rien jusqu'à votre mariage…

Elle fit un signe de dénégation.

— C'était vrai jusqu'à hier…

— Que s'est-il passé ?

— La nuit dernière, Pharaon m'a offert un bracelet d'ivoire et d'argent décoré de papillons et orné d'un œil d'Horus…

Voyant que je ne comprenais pas, elle pinça les lèvres, comme si elle hésitait à confesser une bêtise.

61

— Ce bracelet appartenait à ma mère. À sa mort, elle le portait au poignet quand on l'a confiée aux prêtres. Vous comprenez ce que cela veut dire ?

— Que ce bijou a été dérobé…

— Oui. Et que c'est Iarsou lui-même qui organise le pillage des tombes.

Je savais qu'elle avait raison, mais je fis de mon mieux pour la raisonner. Elle devait redoubler de prudence.

Néfer approuva en pleurant.

— Je sais… Je sais ! Seulement, c'est trop tard !

— Pourquoi ? m'étonnai-je.

— Parce que, devant toute la cour, j'ai jeté le bracelet à la tête de Pharaon en le traitant de voleur.

— Vous n'avez pas fait ça ! m'écriai-je. Et comment le roi a-t-il réagi ?

— Il était furieux. Il a appelé son grand vizir et lui a parlé à l'oreille. Le grand prêtre Sethnakht était là, lui aussi. Il a souri en me regardant.

— Et que s'est-il passé depuis ?

— Rien. Mais ce matin, en ouvrant un de mes pots à onguents, j'ai failli être piquée par un scorpion qui était caché dedans.

Horrifié par son récit, je lui pris les mains et la suppliai de quitter le palais. Mon père avait encore beaucoup d'amis fidèles. Des fonctionnaires intègres. Des officiers de la garde de l'ancien souverain. L'un d'eux lui trouverait un asile sûr dans quelque forteresse ou oasis lointaine.

Elle accepta du bout des lèvres. Mais, visiblement, quelque chose la tourmentait. Je la pressai de tout me dire.

— Je ne peux pas abandonner mon père et ma mère. Si je laisse ces profanateurs vider leurs tombes et détruire leurs enveloppes mortelles, comment renaîtront-ils à la vie éternelle ? Que deviendra leur *ka*[58] ? Comment vivront-ils sans leurs meubles, sans leur armée de serviteurs[59] qu'ils ont fait sculpter pour prendre soin d'eux ? Jamais ils ne connaîtront la béatitude suprême au sein d'Amon, le père universel. Non, je ne peux vraiment pas partir avant de les avoir sauvés.

---

58. À la fois énergie vitale et incarnation de la divinité des rois. Sorte de double ou de force qui se transmettait de génération en génération.
59. Les pharaons garnissaient leurs tombes de nombreuses statuettes de soldats, de paysans et de serviteurs qui devaient assurer leur confort dans l'autre monde.

Elle avait raison. Le respect des morts et la dévotion due à ses défunts parents passaient avant tout.

Il n'y avait qu'une solution : les déménager et leur trouver une nouvelle sépulture pour qu'ils y reposent en paix pendant un autre million d'années.

IV

Le livre des dieux

Mon père fut très heureux de me revoir, mais quelque chose s'était brisé en lui. Il avait vieilli et ses épaules s'étaient légèrement voûtées. Désabusé, il avait également perdu cette assurance du fonctionnaire rempli de rectitude que je lui avais toujours connue. Pour la première fois, il me serra dans ses bras, et je crois bien qu'il versa une larme. Mieux encore, quand je lui eus fait le récit de mon emprisonnement et des complots qui se tramaient au palais, lui, d'habitude si calme, entra dans une grande colère :

— Mon fils, dis-moi ce que tu veux, je ferai tout ce qui est en mon pouvoir pour t'aider à déjouer les projets profanateurs de ces misérables.

Je lui expliquai mon plan.

Il nous fallut près d'un mois pour tout organiser.

Après avoir remonté le Nil, un bateau nous conduisit d'abord à Thèbes. Puis, de là, sous le couvert de la nuit, nous partîmes en caravane pour *sekket aât*, la vallée des Rois, la « grande prairie du paradis », où un policier du désert que nous avions payé nous indiqua l'emplacement des principales sépultures.

Néfer ne s'était pas trompée. Le mécréant dont j'avais partagé la geôle non plus. Presque toutes les tombes avaient été visitées par les voleurs. Partout où nous entrions à la lumière des torches, nous découvrions le même pillage navrant : sarcophages fracassés, momies royales dénudées gisant par terre… Les hommes, reconnaissables à leurs barbes postiches tressées et à l'uraeus[60] fixé à leur front. Les femmes, identifiables à leurs longs cheveux. Beaucoup portaient encore quelques joyaux et certaines dépouilles reposaient toujours dans leur boîte de bois comme si les malfaiteurs avaient voulu leur laisser un rien de dignité afin de ne pas s'attirer l'une des nombreuses malédictions qui étaient inscrites

---

60. Serpent dressé symbolisant l'œil brûlant de Rê.

sur les parois des cercueils et sur les bandelettes en partie déroulées des momies.

Nous enveloppâmes le plus possible de corps dans des pièces de lin et, à dos de chameau, nous les transportâmes jusqu'au navire. Puis, nous chargeâmes ce qui pouvait être sauvé du mobilier funéraire et emportâmes de pleines cassettes de bijoux que les pillards avaient oubliées.

Quand nous eûmes presque terminé, par une nuit sans lune, j'allai chercher la princesse et l'aidai à s'enfuir de son palais sans que Pharaon et ses acolytes s'en aperçoivent. Le lendemain, nous étions aux portes de la nécropole. Sennéfer nous y attendait.

Pendant mon absence, il avait dégagé l'entrée de la dernière tombe à visiter : celle du roi Ramsès-Siptah et de la reine Mérytamon, les parents de Néfer.

La princesse hésita longuement avant de descendre dans le tombeau qui, heureusement, n'avait pas été trop saccagé. Sennéfer avait déjà refermé la bière de Ramsès. Il proposa à Néfer de l'ouvrir. Elle déclina l'offre. La momie de sa mère, Mérytamon, était allongée dans sa boîte peinte, les bras repliés sur la poitrine. Elle était admirablement bien conservée et, à son cou, on pouvait encore voir le collier de fleurs naturelles que sa fille avait confectionné pour elle le jour de l'inhumation.

Néfer s'approcha en tremblant.

Elle murmura :

— Maman…

Puis, elle se pencha sur le cadavre en partie mis à nu et, avec douceur, lui enfila un bracelet au poignet. Le bracelet volé par Iarsou et sa bande…

Le retour se fit sans embûches. Nous naviguâmes jusqu'à Héracléopolis et, de là, nous nous enfonçâmes dans les sables du désert de l'Ouest pour rejoindre Barahiya. C'est là que nous apprîmes que Pharaon avait envoyé une véritable armée à nos trousses en proclamant par tout le pays que des hérétiques sacrilèges avaient osé fouler la terre sacrée des champs d'Ialou[61] et sortir de leur sommeil les anciens rois.

Des soldats de Pharaon avaient reçu pour mission de barrer toutes les routes, fouillant les voyageurs et profitant souvent de l'occasion pour détrousser au passage ceux qui transportaient des marchandises de quelque valeur. Pour éviter les patrouilles, nous dûmes

---

61. Autre nom égyptien de la vallée des Rois.

donc couper à travers les dunes et les plateaux rocailleux. Un de nos chameaux se blessa, ce qui nous força à répartir la charge sur les autres animaux de bât et nous ralentit beaucoup. De plus, la princesse n'étant pas habituée à l'ardeur du soleil et aux fatigues de la traversée d'étendues désertiques, il fallut nous arrêter souvent pour lui permettre de se reposer.

Enfin, après des jours de marche, presque sans eau, nous vîmes à l'horizon se profiler la ligne verte des palmiers de l'oasis.

Là aussi, Pharaon avait fait poster des hommes en armes qui contrôlaient la porte d'enceinte.

Néfer se voila le visage et je la pris par la taille pour faire croire que nous étions mari et femme.

L'un des soldats, l'air méfiant, fit le tour de nos bêtes et tâta nos bagages du fer de sa lance. Il s'adressa à Sennéfer, qui se tenait en tête de la caravane.

— Toi, le sans-nez, que transportes-tu là ?

Mon père, sans hésiter, écarta un pan de tissu et découvrit le coin de peau brunâtre d'une de nos momies.

— Du poisson séché ! déclara-t-il avec un aplomb admirable.

Le soldat, perplexe, consulta ses collègues. Mais quand Sennéfer glissa un peu d'or dans la main de chacun, les militaires nous laissèrent passer sans plus de questions.

Deux jours plus tard, tous les corps des grands rois d'Égypte que nous avions sauvés de l'anéantissement reposaient dans les montagnes au fond d'une grotte, en attendant que nous puissions leur creuser un nouveau tombeau.

Soulagée, Néfer avait retrouvé le goût de vivre.

Elle passait maintenant de longues heures avec moi, m'appelant « mon frère[62] » et me tenant souvent la main.

Un jour, elle m'embrassa et s'en excusa aussitôt.

Je lui dis :

— Princesse, je suis indigne de vous. Je ne suis qu'un humble scribe…

Elle me répondit :

— J'ai beaucoup prié et Hathor[63] m'est apparue en songe. Et savez-vous ce qu'elle m'a révélé ?

---

62. À l'époque, quand on était amoureux, on s'appelait familièrement « frère » et « sœur ».
63. La déesse à tête de vache était aussi la déesse de l'amour.

— Non.

— Qu'un jour, vous serez roi des deux Terres. Un grand roi !

C'est à cet instant, je crois, que nous tombâmes vraiment amoureux l'un de l'autre.

Je me mis à rire.

— Pour devenir roi, il faudrait que je triomphe d'abord de Pharaon et pour arrêter Iarsou, monté sur son char de guerre, il me faudrait autre chose que ma modeste tige de roseau trempée dans l'encre et les quelques signes que je sais tracer sur un bout de papyrus !

Mon père, qui rentrait d'une tournée d'inspection auprès des travailleurs que nous venions d'embaucher, surprit une partie de cette conversation et me reprit sur un ton de reproche bienveillant :

— Mon fils, ne sous-estime pas le pouvoir des mots. Il y a de la magie en eux ! Les mots sont un don des dieux. Comme eux, ils sont immortels et, comme eux, ils détiennent une force redoutable. Ils ont le pouvoir d'accomplir des miracles tout comme ils ont celui de tuer et de détruire. Le scribe a la sagesse de savoir contrôler ce pouvoir magique afin que l'équilibre du monde soit maintenu…

Les paroles de mon père ne suscitèrent d'abord chez moi aucune réaction. Cependant, au bout de plusieurs jours, elles me revinrent à l'esprit avec une lumineuse évidence.

La MAGIE ! Bien sûr, c'était *la* solution.

Je m'empressai d'exposer mon idée à la princesse, qui m'écouta avec attention lorsque je lui racontai mon expérience en la matière :

— Plus jeune, j'ai assisté à des prodiges de la part d'un sorcier de Tanis. Il avait façonné une figurine de cire à l'image de son ennemi, un marchand d'huile. Il avait gravé dessus des signes d'imprécation, puis il avait invoqué Seth, Apophis et Isefet[64] avant de piétiner la statuette du pied gauche.

— Et après, que s'est-il produit ?

— Un tremblement de terre a détruit la maison du marchand, qui est mort sous les décombres de sa maison.

Néfer fronça les sourcils.

Je fus bien forcé de lui avouer :

— Il est vrai que la moitié de la ville fut également ravagée par le séisme…

---

64. Seth, le frère meurtrier d'Osiris, est l'équivalent de notre diable et Isefet est le dieu du mal et du chaos.

Néfer ne put s'empêcher de sourire. Cependant, la possibilité de recourir aux pratiques magiques pour se protéger et se venger de ses ennemis ne déplaisait pas à la princesse. Dépossédée de tous ses privilèges royaux, elle n'avait plus rien à perdre.

Je savais que Sennéfer avait dans sa bibliothèque quelques textes très anciens contenant de mystérieuses incantations. Sans lui en parler, je les emportai discrètement et, oubliant les mises en garde paternelles maintes fois réitérées quant à l'usage irréfléchi de ces précieux grimoires, j'entrepris laborieusement de les déchiffrer.

Dans l'un d'eux, on expliquait comment attirer la malédiction sur la tête de ceux qu'on haïssait. On y conseillait de commencer par inscrire leurs noms sur des vases. Aussitôt, Néfer tint à calligraphier elle-même les patronymes de Iarsou, de Mérirouka et de Scthnakht sur les poteries que je me procurai. Comme le recommandait le document, nous apportâmes ensuite celles-ci à la boutique du forgeron.

— Que faut-il faire, maintenant? s'impatienta Néfer.

— Il faut cracher dessus.

Elle s'exécuta avec un plaisir évident.

— Et après?

— Le papyrus dit qu'il faut briser les vases.

Sans hésiter, elle lança les trois vases, qui allèrent se fracasser contre le mur de la forge.

— C'est tout?

— Non. Il faut maintenant placer les tessons dans le feu en récitant la formule.

Une fois ramassés les morceaux d'argile, nous nous plaçâmes donc devant le foyer du forgeron et, pendant que Néfer jetait un à un les débris au milieu des flammes, je commençai à lire les malédictions contenues dans les rouleaux de mon père:

— *Salut à toi, ô Rê! père des dieux! Salut à vous, dieux, maîtres du ciel et de la terre! Venez à moi et faites que la maladie fonde comme un faucon sur Iarsou! Faites que le grand vizir s'étouffe avec le pain qu'il a volé! Ô toi, Sekhmet[65], la lionne rugissante, dévore vivant le grand prêtre qui a sacrifié des milliers de tes enfants…*

Quelques jours plus tard, un des hommes de confiance qui nous tenait au courant de

---

65. Sekhmet, la redoutable déesse à tête de lion, était la version vengeresse de Bastet, la déesse chat. Elle provoquait la canicule, répandait les épidémies, intoxiquait les aliments et polluait les eaux du Nil.

ce qui se passait au palais nous rapporta qu'effectivement, Pharaon avait souffert d'un accès de fièvre, que Mérirouka avait fait une indigestion et que Sethnakht était paru à la cour avec la joue griffée par un chat...

Il apparaissait clairement que notre magie manquait de puissance ou que ma connaissance imparfaite des hiéroglyphes sacrés n'avait pas tiré toute la force maléfique des mots que j'avais tenté de lire.

Lorsque Sennéfer se rendit compte que j'avais utilisé ses archives personnelles sans son autorisation, il en fut très fâché.

— Malheureux ! Tu ignores le danger auquel tu t'es exposé. On ne dérange pas les dieux sans péril. C'est ta vie et celle de la princesse que tu as compromises imprudemment...

Je lui demandai de me pardonner, tout en plaidant que j'étais prêt à utiliser tous les moyens pour triompher de nos ennemis.

— N'importe quels moyens ? me répéta Sennéfer en me fixant droit dans les yeux.

Je lui répondis par l'affirmative sans hésiter.

— Au risque de perdre ton âme et de percer des secrets dont la lumière t'aveuglera et dont le poids t'écrasera ou te rendra fou ?

— Oui, père. Je vous le répète : je suis prêt à tout.

— Eh bien, écoute. Le livre qui peut te donner la toute-puissance et faire de toi presque l'égal des dieux existe. C'est le livre de Thot. Le dieu Thot, tu le sais, est le grand juge et, aussi, le scribe des dieux. C'est lui qui, depuis trente-trois siècles, note tout ce que disent Rê, Osiris, Isis, Horus et les autres divinités quand elles discutent entre elles du sort de l'humanité et de la suite du monde. Le grand Thot n'utilise pas comme nous de vulgaires papyrus, il écrit sur des feuilles d'or où les caractères se gravent tout seuls et où les mots conservent la force divine de ceux qui les ont prononcés. Or, ce livre, il y a mille ans, a été dérobé par un homme qui est mort presque aussitôt après son larcin. Dès qu'il en a lu les premières lignes, son cerveau s'est mis à bouillir en un jus sanglant qui s'est écoulé par ses narines. Après lui, au fil des siècles, d'autres se sont emparés du livre. Tous ont péri de mort violente.

— Et ce livre existe toujours ? m'étonnai-je.

— Oui. Il y a longtemps, quelqu'un en a fait usage une dernière fois. Une des favorites de Ramsès II avait décidé de faire mourir le grand roi, afin de mettre son propre fils sur le trône. La conspiration échoua. Quarante officiers furent exécutés ainsi que six hautes dames. À la mort de Ramsès, le livre maudit passa entre les mains de son fils, le prince Khanuas, qui décida de le brûler. Peine perdue : le livre sortit sans dommages des cendres. Alors, il le cacha dans une série de coffres qui s'emboîtaient les uns dans les autres, chacun étant protégé par un monstre redoutable. Puis, quand le dernier coffre fut scellé, il partit en barque et jeta le tout dans le fleuve.

J'avais écouté ce récit fantastique avec beaucoup d'attention, sans comprendre toutefois où mon père voulait en venir.

Sennéfer semblait douter, comme s'il éprouvait un dernier remords. Il me prit par les épaules et me fit enfin cette révélation stupéfiante :

— Le père du père de mon père était le scribe de ce prince. Il savait où avait été immergé ce coffre… et ce secret s'est transmis dans notre famille de génération en génération mais, je te le répète, il faut que tu saches que la magie a ses limites. Capricieuse, elle t'éblouira, elle réalisera tous tes rêves, elle semblera t'ouvrir des horizons sans limites puis, un jour, elle t'échappera tout aussi mystérieusement.

Je n'hésitai pas une seconde.

— J'irai chercher ce livre !

Bien entendu, lorsque je me retrouvai seul avec la princesse, je me gardai bien de lui raconter tous les détails de cette histoire. Si je devais encourir la damnation éternelle en dérobant à mon tour le livre des dieux, je ne voulais pas qu'elle se perde avec moi.

Mon père, afin de parfaire mes connaissances, passa plusieurs semaines à me faire étudier les textes les plus rares qu'il possédait. Il m'emmena dans les ruines d'antiques monuments où il me montra, sur des stèles de granite, des inscriptions si vieilles que je n'en comprenais presque pas l'écriture.

Il tenait à veiller à tout et à me donner un maximum de chances de pouvoir décrypter correctement les caractères sacrés contenus dans le livre. Il me procura également un khopesh[66] et exigea que je porte au cou une amulette en forme de nœud d'Isis[67] qui avait appartenu à sa mère.

---

66. Épée des Égyptiens à lame courbe en forme de faucille.
67. Amulette censée protéger contre le malheur et conférer à son porteur force ou richesse.

J'étais prêt.

La veille de mon départ, je fis cependant un rêve étrange qui me troubla beaucoup.

Deux dieux se tenaient debout devant la natte sur laquelle j'étais couché. Ils avaient pris l'apparence d'un babouin[68] et d'une chatte. Ils se disputaient à mon sujet. Le singe était en colère et avait les crocs sortis, prêt à mordre. La chatte l'en empêchait et se transformait sous mes yeux en une femme d'une grande beauté qui agitait son sistre tout en parlant :

— Séti est un cœur noble. Je sais qu'il fera un bon usage du livre et qu'il ne cherchera pas à accaparer le pouvoir des dieux à des fins ignominieuses. Quoi que tu fasses contre lui, je le protégerai et je serai toujours à ses côtés.

Je me suis alors réveillé en sursaut. La chambre était vide mais – surprise ! – une grosse chatte noire se tenait assise à mes pieds, immobile comme une statue. Elle avait une boucle dans une de ses oreilles et me fixait de ses prunelles d'or en sortant et en rentrant ses griffes.

---

68. Thot prenait la forme d'un ibis ou d'un singe.

Je me levai. Elle se leva aussi, s'étira et m'emboîta le pas.

— Comment vais-je t'appeler, toi ?

Un nom me vint à l'esprit : Anty, « Griffue ».

— Oui, ce nom te convient parfaitement. Viens, ma belle !

L'endroit que m'avait indiqué Sennéfer était situé au creux d'une large courbe du Nil, où se dressaient les restes d'un temple oublié. Les rives, couvertes de roseaux, étaient infestées de crocodiles qui somnolaient, leurs redoutables mâchoires grandes ouvertes. Il y avait également des hippopotames[69], tout aussi dangereux.

La voile de ma barque abaissée, je longeai la côte en plongeant ma perche dans le fond vaseux du fleuve. Anty, la chatte noire qui ne me quittait plus, était installée à la proue. Assise sur son derrière, elle battait de la queue comme si elle savait exactement où nous allions.

---

69. L'hippopotame, grand destructeur de culture, était le symbole des forces négatives du monde et associé à Seth. Le crocodile, surnommé le « dévoreur », était, lui, associé au dieu des eaux, Sobek.

Tout à coup, parmi les herbes, un gros crocodile se dressa sur ses courtes pattes et rampa jusqu'au fleuve, où il disparut. Je devais me méfier de ces monstres sournois, qui attaquent en silence avec la soudaineté de l'éclair.

À gestes lents, je poussai mon fragile esquif, qui atteignit bientôt le milieu du fleuve. Anty, le poil hérissé, se mit à miauler comme si elle pressentait un danger.

L'eau était claire et je n'eus aucune difficulté à repérer au fond, à quelques brasses sous moi, un coffre dont les panneaux dorés étincelaient.

Je plongeai une première fois. Le coffre, partiellement enlisé, résista à mes efforts pour le déloger. Je remontai prendre ma respiration, puis je replongeai. Cette fois, je réussis à nouer une corde à ses deux poignées.

Je refis surface et grimpai dans ma barque. À peine visible, un crocodile de grande taille défila lentement le long de la coque de mon bateau…

Au bout d'une bonne heure d'efforts surhumains, je parvins enfin à hisser le coffre à bord et à le ramener sur le rivage. L'enveloppe extérieure de bois d'ébène et de métal précieux était richement sculptée. Sur le cartouche du sceau que je dus briser figuraient les trois caractères composant le nom du dieu à tête d'ibis[70]. Je soulevai le couvercle avec méfiance. Heureuse précaution car, soudain, un énorme scorpion d'or s'échappa de la boîte, le dard pointé.

Je ramassai un gros caillou et tentai bien d'écraser cet animal qui avait la taille de dix insectes normaux, mais celui-ci semblait invincible : chaque fois que je le frappais et pensais lui avoir brisé la carapace, il se redressait, retrouvant sa vitalité et cherchant à me décocher un coup mortel du bout de sa queue.

C'est alors qu'Anty, ma compagne à quatre pattes, vint à ma rescousse. Poussant des feulements furieux, elle bondit sur le scorpion, le saisit dans sa gueule, le secoua, le relâcha, pour le ramener d'un coup de griffe et lui planter à nouveau ses crocs dans l'abdomen. L'insecte des sables se replia sur lui-même. Ses pattes cessèrent de grouiller. Mort.

— Bien joué ! félicitai-je la brave chatte, qui se mit à ronronner de plaisir en se frottant à mes jambes.

---

70. Autre avatar du dieu Thot.

Aussitôt remis de mes émotions, je m'attaquai au second compartiment du coffre qui, lui, était en ivoire, et sur lequel était ciselé un singe coiffé du disque de la lune. Je me doutais que je risquais à tout moment d'être victime d'un autre piège, si bien que je multipliai les précautions. Anty, elle aussi, semblait nerveuse et tournait autour de moi en grattant bizarrement le sol de ses pattes arrière. La serrure céda et le second coffre s'ouvrit tout seul, révélant un troisième contenant plus petit qui avait l'éclat de l'électrum[71]. À ma grande surprise, l'espace libre entre les deux coffres était vide. Du moins, c'est ce que je crus jusqu'à ce que s'en dégage tout à coup une nuée ténébreuse et tourbillonnante plus noire que la nuit. Cette nuée se métamorphosa bientôt en un immense vautour impalpable qui se mit à tournoyer autour de moi. Tout ce que le bout de l'aile de cet «oiseau» touchait se desséchait ou mourait immédiatement, des plus petits brins d'herbe aux massifs bœufs ioua[72] aux cornes en forme de lyre qui paissaient dans les champs.

---

71. Alliage naturel d'or et d'argent.
72. Race de bœuf antique.

Je pris Anty dans mes bras et jetai un coup d'œil à la ronde. Je n'avais nulle part où me cacher.

Je pensais ma dernière heure venue. Mais – ô prodige! – cet oiseau de malheur avait beau tourner autour de moi en me frôlant chaque fois d'un peu plus près, il avait l'air incapable de franchir le cercle que la chatte avait tracé dans le sable en grattant.

Peu à peu, la nuée maléfique perdit de sa violence, et l'oiseau de proie nébuleux fut comme aspiré dans la trombe d'air qui, elle-même, se dissipa rapidement.

Je me remis une nouvelle fois à l'ouvrage et sortis le dernier coffret. Il était d'une beauté et d'un raffinement admirables. De nouveau Anty manifesta son agitation en battant de la queue et en émettant des grognements sourds. Je secouai le coffret. Il était anormalement lourd et quelque chose bougeait en dedans. Je l'entrouvris. Un sifflement terrifiant se fit entendre. J'eus heureusement le réflexe de jeter au loin la précieuse boîte. Juste à temps pour éviter la morsure fatale d'un cobra à col noir, qui s'enroula autour de l'écrin dont il avait apparemment la garde.

J'avais déjà eu affaire à ce genre de reptile. Cependant, je n'en avais jamais rencontré d'aussi effrayant. Il grossissait sans arrêt. Son œil était de braise et ses écailles n'étaient pas des écailles, mais des plaques de bronze dorées. Trois fois, le monstre se détendit pour me mordre. Trois fois, je réussis à esquiver son attaque foudroyante.

Je sortis lentement l'épée à lame courbe que m'avait donnée mon père. Le serpent se lova pour mieux se détendre. Sa gueule rouge était béante, et je savais que cette bête impitoyable était capable non seulement de me mordre, mais de me projeter d'une grande distance son venin à la figure.

Tapie sur le sol, Anty, elle aussi, se tenait prête à attaquer. Le serpent dut sentir le danger. Il se tourna un instant vers la chatte…

C'était ma chance. Du tranchant de mon arme, je coupai le cobra en deux et sa tête vola à plus de vingt coudées du reste de son corps.

Je pensais être débarrassé de cette créature infernale.

Il n'en était rien car, à mon grand désarroi, je vis les deux morceaux de la bête se tortiller, puis ramper l'un vers l'autre avant de se ressouder pour reconstituer un cobra plus agressif que jamais.

Je ne me décourageai pas pour autant. À deux reprises, je réussis à décapiter ainsi la bête, qui se reforma de la même manière. Ce combat épuisant durerait encore si Anty n'était pas venue à mon aide une nouvelle fois en s'emparant de la tête coupée du serpent et en s'enfuyant avec.

Elle m'indiquait la voie à suivre. Il fallait éloigner suffisamment les deux parties du monstre pour qu'elles ne puissent se rejoindre avant que j'aie eu le temps de prendre le livre.

Je m'emparai donc de la queue du reptile et courus à toutes jambes l'enterrer à bonne distance en couvrant le trou d'une grosse pierre plate.

C'était un bon calcul. Quand je revins, toujours en courant, le cobra n'avait pas encore réussi sa nouvelle résurrection. Sans perdre un instant, j'ouvris donc le dernier coffret et le vidai de son contenu. Le livre était bien là.

Sennéfer ne s'était pas trompé : le long papyrus enroulé que je tenais ressemblait à un rouleau fait d'une très mince feuille d'or pur qui devait bien avoir quatre-vingts coudées de longueur[73]. Vite, je le plaçai dans

---

73. Certains rouleaux de papyrus avaient effectivement presque quarante mètres de long.

ma besace de scribe, puis j'appelai ma brave chatte qui sortit des fourrés et sauta avec souplesse dans ma barque.

Quelques vigoureuses poussées de ma perche et je fus au milieu du courant. Je hissai la voile.

Nous étions sauvés !

V

La fin du grand vizir

Quand je me sentis hors de danger, je m'allongeai et, poussé, par un bon vent, je laissai ma nef voguer vers le nord.

Anty vint se coucher près de moi, cherchant mes caresses.

Je finis par m'assoupir.

J'eus de nouveau la vision de la déesse Bastet. Elle avait cette fois les traits de ma chatte et me dit :

— Séti, grâce à moi, tu es maintenant le maître du livre. Depuis que des yeux humains l'ont souillé, Thot ne peut plus l'utiliser, malgré le danger qu'il représente pour l'univers tout entier. Sers-toi de ses formules avec prudence. N'oublie pas qu'il contient tout le savoir des dieux et que, parfois, ces derniers ne sont pas plus sages que les humains. Parmi les descendants de Shou et de Tefnou, et ceux de Geb et de Nout[74], certains se sont consacrés entièrement au bien et ont mis leur puissance au service de la vie et de l'harmonie. Mais d'autres, hélas, ont voué leur existence à la destruction et au chaos. Tout cela est dans le livre et fait de toi un être unique, à la fois plus qu'un homme et moins qu'un dieu, capable aussi bien de faire rayonner la justice que de semer la destruction. Penses-y, Séti! Penses-y…

Quand je sortis de ce songe, je m'aperçus que, durant mon sommeil, Anty s'était couchée sur moi. Pendant un bref instant, j'eus la curieuse impression que c'était elle qui venait de me parler.

Il faisait une chaleur torride. La barque se balançait doucement sur les eaux lisses du fleuve. J'étais si fatigué que je sombrai de nouveau dans l'inconscience.

Quand je sortis de cet inexplicable état de torpeur, je découvris que ma barque s'était échouée.

Où étais-je rendu? Je me trouvais aux abords d'une ville que je ne connaissais pas.

---

74. Couples primordiaux de l'air et de l'eau et de la terre et du ciel.

Au loin, trois pyramides brillaient au soleil. Des enfants vêtus de haillons s'étaient attroupés autour de mon embarcation. Ils étaient tous d'une maigreur pitoyable.

— Regardez ! lança l'un d'eux. Il y a un chat qui dort ! Qu'il est beau !

En me réveillant, je tâtai immédiatement ma besace. Elle était vide.

Quelqu'un m'avait VOLÉ LE LIVRE !

Ma première réaction fut de me tourner vers ma chatte. Pourquoi ne m'avait-elle pas alerté ? Anty s'était assoupie également et comme je m'apprêtais à la disputer, elle se contenta de s'étirer en bâillant.

Il me restait les enfants. Je les interrogeai en leur distribuant un peu du pain qui me restait.

— Est-ce que l'un de vous a fouillé dans mon sac ?

Une fillette, qui flattait Anty, me répondit :

— Nous, non. Par contre, Kaâper, le chef de notre village, lui, il t'a pris quelque chose.

— Et qu'en a-t-il fait ?

— Il l'a emporté dans la grande maison là-bas, comme tout ce qu'on trouve ayant quelque valeur. On doit tout lui donner. Sinon, on risque d'être battus.

— Et à qui appartient cette demeure ?

Ce fut un autre enfant qui me renseigna, l'air craintif.

— C'est la maison de Mérirouka, le grand vizir.

— Et est-il là, en ce moment ?

— Oui, il est venu collecter les impôts en compagnie du vénéré Sethnakht, le grand prêtre de Bubastis.

J'étais atterré. Comment avais-je pu faire preuve d'une telle légèreté ? Comment avais-je pu dormir aussi longtemps ? Et pourquoi ne m'étais-je pas éveillé dès qu'on avait ouvert ma besace ? Ce n'était pas normal. Peut-être fallait-il y voir la main d'un de ces dieux malveillants contre lesquels la déesse m'avait mis en garde ?

Il n'en demeurait pas moins que je devais à tout prix retrouver le livre. Mais comment m'y prendre ? La maison du grand vizir était bien gardée. Elle était entourée de hautes murailles percées de portes de bronze si lourdes que quatre hommes étaient nécessaires pour les ouvrir ou les fermer.

Ce fut Anty qui m'indiqua la solution en grimpant avec agilité au sommet de l'un des palmiers qui poussaient le long du mur nord de cette forteresse. Il me fut assez aisé de monter moi aussi dans cet arbre pour espionner les allées et venues du grand vizir et de son complice.

Ils étaient justement tous les deux installés sur un des toits en terrasse de la riche habitation. D'où j'étais, je pouvais non seulement les voir, mais également entendre leur conversation.

Mérirouka regardait le livre, dont il avait déroulé les premières pages.

— C'est de l'or ! s'exclama-t-il. D'où vient ce trésor ? Il doit valoir une véritable fortune !

Le grand prêtre, à son tour, examina le rouleau.

— Ce n'est pas simplement de l'or : c'est un livre de magie. Une magie que je vois pour la première fois. Regarde : dès qu'on passe le doigt sur les caractères, ils se forment et s'effacent à l'infini. L'écriture m'en est pratiquement inconnue. Elle est très ancienne. Je peux cependant essayer d'en lire quelques bribes.

Et le prêtre renégat commença à réciter :

— *Je suis Hier, Aujourd'hui et Demain, car je suis né maintes et maintes fois. Mienne est la force invincible que créent les dieux. Je suis le Verbe tout-puissant. Je brandis le feu du ciel. Je déchire l'horizon. J'ouvre les portes des entrailles de la terre…*

Alors, avant même que Sethnakht ait pu terminer sa dernière phrase, le ciel s'enténébra et fut zébré d'éclairs. Bientôt toutes les maisons et la campagne environnante furent bombardées d'une pluie de grêlons si dense que ceux-ci crevèrent les toits et tuèrent des milliers de bœufs, de chèvres et de moutons.

Puis, quand la tempête se fut apaisée, un vent d'Orient s'éleva qui apporta des nuées de sauterelles qui s'abîmèrent sur les champs et, en un instant, dévorèrent toute l'herbe, toutes les feuilles et tout ce qui poussait, laissant les arbres et la terre à nu.

Pris de panique, Mérirouka arracha le livre des mains du grand prêtre.

— Qu'as-tu fait ? Tu es devenu fou ? Arrête immédiatement tout ça. Tu ne vois pas que tu es en train de nous ruiner tous ! Prononce vite une autre formule pour conjurer ce mauvais sort ! Comment, tu n'en connais pas ? Disparais ! Hors de ma vue !

À moitié assommé par la grêle et aveuglé par les insectes qui vrombissaient autour de moi, je ne pus rester plus longtemps sur mon perchoir et en descendis le plus vite possible. Plus avisée, Anty m'avait précédé depuis longtemps, et je courus me réfugier comme elle sous le portique d'un des temples de la ville.

La chatte, toujours aussi calme, me regarda arriver, couvert de poussière. Dès qu'elle me sut à l'abri, elle recommença à se lécher la patte. Rien ne semblait pouvoir la déranger quand, brusquement, elle interrompit sa toilette. Ses oreilles se dressèrent comme si elle avait pressenti un nouveau danger plus redoutable encore que les fléaux qui venaient de s'abattre sur nous. Soudain, un craquement formidable suivi d'une violente secousse me renversa sur le dos. D'énormes blocs de pierre se mirent à se détacher du monument et à tomber autour de moi. Anty détala à toute allure et je la suivis en prenant les jambes à mon cou. Le sol, subitement, se fendit en multiples crevasses sans fond. Un des obélisques qui ornaient l'entrée du lieu sacré s'écroula dans un fracas assourdissant. Au milieu des débris, des hommes et des femmes hurlaient de douleur. Un char se fraya un passage parmi cette foule, son occupant n'hésitant pas à fouetter ceux qui lui barraient le passage.

Je reconnus le grand prêtre. Il n'avait pas le livre. Or, c'était la seule chose qui m'intéressait. Le précieux rouleau devait encore être en la possession du grand vizir. Je devais agir vite. Dans la confusion créée par le tremblement de terre, j'avais une chance de

95

reprendre mon bien. Où était passée Anty ?
Je la cherchai du regard : elle n'était plus là.

Le palais du vizir était proche. En quelques
enjambées, je me retrouvai devant son entrée.
La demeure était en feu et au milieu des
flammes, debout sur la plus haute terrasse, se
tenait toujours Mérirouka, brandissant le
livre vers les cieux comme s'il voulait conjurer
la colère des dieux. Il y eut alors un gronde-
ment formidable et le vizir disparut, englouti
par le brasier qui projeta dans les airs une
gerbe d'étincelles et de brandons qui à leur
tour allumèrent un peu partout d'autres
incendies.

Le livre ! pensai-je. *Le livre est perdu !*

Le palais brûla pendant au moins deux
jours et on eut beau chercher les restes de
Mérirouka parmi les décombres, on ne trouva
aucune trace de lui.

Je dois avouer que la mort de ce fonctionnaire sans scrupules ne me fit guère de
peine. Je ne pouvais en dire autant de la perte
du livre qui ruinait tous mes espoirs de
vaincre Pharaon et de sauver la princesse
Néfer.

Au bord du fleuve, ma barque était toujours là. Anty aussi. Apparemment, durant
le cataclysme qui avait en un instant détruit

toute la contrée, elle avait regagné prudemment l'embarcation d'où elle avait assisté, impassible, à l'anéantissement de la ville, comme s'il s'agissait d'un juste et prévisible châtiment.

Elle avait raison : la partie était perdue et je m'apprêtais déjà à détacher l'amarre du bateau, quand mon imprévisible petite chatte se comporta une fois de plus étrangement. En effet, au lieu de se réinstaller à l'avant du navire, comme je m'y attendais, elle sauta par-dessus le bordage et fila vers les ruines encore fumantes du palais du vizir.

Je lui criai :

— Reviens ! Reviens, voyons ! Nous n'avons plus rien à faire ici !

La jeune rebelle refusa de m'obéir et je n'eus d'autre choix que de me mettre à sa poursuite.

Je la retrouvai finalement au milieu des vestiges de la maison incendiée, et c'est à ce moment-là que je me souvins de l'histoire du prince Khanuas. Lui aussi avait exposé le livre aux flammes, mais celui-ci en était sorti sans le moindre dommage.

Décidément Anty était plus brillante que moi. Une nouvelle fois, Bastet me guidait à travers elle. Avant de repartir, je devais absolument vérifier s'il était possible que le livre ait survécu au désastre.

Je fouillai donc les restes calcinés du palais, soulevant les poutres noircies et remuant la cendre chaude du bout de ma sandale quand, tout à coup, l'éclat du métal précieux attira mon regard.

Le livre était bien là, miraculeusement épargné.

VI

Séti le vengeur

Pendant mon absence, beaucoup de choses avaient changé à Barahiya, où j'avais laissé mon père et la princesse sous bonne garde. Frappés par les plaies affligeant toute l'Égypte depuis l'ascension sur le trône de Iarsou, beaucoup de réfugiés venus de tout le pays avaient afflué dans l'oasis et s'étaient ralliés à la princesse Néfer. Qui les avait avertis de sa présence ? Personne n'aurait pu le dire. La rumeur s'était répandue qu'un Sauveur avait épousé la cause de l'héritière du dernier Ramsès et que les jours de l'usurpateur étaient comptés. Ces gens venaient de partout : des oasis voisines de Kharga, de Siouah et de Dakhla, mais aussi d'Abydos, de Negada, de Thèbes et de plus loin encore. Il y avait parmi eux beaucoup de fellahs poussés par la famine, mais aussi des soldats et des officiers qui eurent tôt fait de chasser les derniers représentants locaux de Pharaon.

Quelle ne fut donc pas ma surprise quand, à mon retour, au lieu de retrouver la petite troupe de fidèles que j'avais laissée, je découvris une véritable armée qui m'accueillit en poussant des cris de joie et en levant les bras au ciel !

De mon côté, j'avais hâte de revoir les miens, et c'est avec une grande émotion que je vis s'avancer vers moi la belle Néfer, suivie de Sennéfer. Tout le monde s'écartait sur le passage de la princesse et je m'apprêtais moi-même à la saluer respectueusement quand celle-ci, oubliant tous les usages de la cour, se précipita vers moi, me sauta au cou et m'embrassa en public.

— Vous m'avez tellement manqué ! J'ai eu si peur que vous ne reveniez jamais…

Mon père, à son tour, me serra dans ses bras et s'empressa de me demander si j'avais le livre. Je le rassurai à ce sujet et en profitai pour conter les événements incroyables que j'avais vécus ainsi que les circonstances dans lesquelles l'infâme vizir avait péri. Néfer vint s'installer près de moi et elle aussi écouta attentivement mon récit tout en caressant

Anty, qui s'était couchée sur ses genoux en ronronnant d'aise.

Mon histoire ne la laissa pas indifférente.

— Tout cela est bien effrayant ! s'écria-t-elle en réprimant des frissons d'effroi.

Sennéfer, pour sa part, hocha la tête avec gravité.

— Mérirouka n'aurait jamais dû lire directement à haute voix les passages du livre. Seuls les dieux le peuvent... La magie qu'il contient est trop puissante pour les faibles créatures que nous sommes...

Sur le moment, tout à la joie de retrouver Néfer, je ne compris pas trop le sens de cette remarque et ce n'est qu'un peu plus tard, à la nuit tombée, que je décidai de rejoindre mon père dans la petite pièce sombre qui lui servait d'atelier afin de lui poser la question qui me tourmentait :

— Mais si nous avons le livre sacré sans pouvoir utiliser les formules magiques qu'il contient, à quoi peut-il bien nous être utile ?

À la lumière de sa lampe à huile, Sennéfer me montra une quantité impressionnante de papyrus vierges qu'il venait d'apprêter et de coller bout à bout.

— Il y a un moyen, me répondit-il. Seulement, il exige une application sans faille et un travail d'écriture méticuleux. La moindre faute serait impardonnable. Penses-tu être capable d'accomplir une tâche aussi ardue ?

Après les dangers que j'avais dû affronter, cette remarque me fit sourire. Par contre, à la suite des explications de mon cher père, je me rendis compte qu'au contraire, l'épreuve serait loin d'être aussi facile que je le pensais.

Il m'apprit qu'autrefois, un grand magicien du nom de Hétep-Ka-Ptah avait utilisé un habile subterfuge pour s'approprier sans risques le pouvoir magique des mots du livre.

— Tu vois ces papyrus ? Eh bien, tu vas recopier dessus soigneusement, signe par signe, idéogramme par idéogramme, tous les hiéroglyphes que contient le rouleau de Thot. Tu vas les transcrire sans chercher à les comprendre, sans prononcer un seul mot et avec une fidélité absolue. Quand tu auras terminé, je te dirai ce que nous ferons ensuite.

Ce laborieux travail de calligraphie me prit bien tout le troisième mois de Peret[75]. Chaque lettre, chaque image du livre divin était extraordinairement difficile à dessiner,

---

75. Deuxième des trois saisons de l'année correspondant à la décrue du Nil, de novembre à mars.

et je crus ne jamais pouvoir m'acquitter de cette interminable besogne d'autant plus ingrate qu'elle n'avait apparemment aucun sens et que mon père se refusait à m'apporter la moindre aide.

Enfin, la copie fut achevée, tous les papyrus formant maintenant un rouleau trois fois plus volumineux que l'original.

Je fis avertir Sennéfer, qui se trouvait à l'autre bout de l'oasis en train de surveiller les récoltes et de calculer nos réserves de grain. Il se présenta bientôt avec une jarre qu'il avait remplie dans le puits le plus profond de Barahiya, réputé pour la pureté de son eau. Je le remerciai et, comme j'avais très soif, je voulus y puiser un bol d'eau pour me désaltérer. Il m'arrêta.

— Pas maintenant.

Interloqué, je lui en demandai la raison.

Il posa la jarre par terre et me dit :

— Tu vas tremper dedans tous les papyrus sur lesquels tu as transcrit le livre !

— Mais l'encre va se dissoudre ! m'objectai-je. En un rien de temps, ils seront illisibles !

— Obéis-moi sans discuter, je t'en prie, insista le vieux scribe.

Je m'exécutai en maugréant et, comme je l'avais prédit, dès que j'immergeai le rouleau dans l'eau, cette dernière vira au noir.

— Et maintenant, ronchonnai-je, que fait-on de cette eau sale ?

— Tu la bois.

— La *boire*! m'exclamai-je. Père, malgré tout le respect que je vous dois, cela est une vraie folie.

Sennéfer, sans hausser la voix ni s'impatienter, répéta :

— Il faut que tu la boives. Tout ce que tu as recopié est maintenant en substance dans cette eau. Comprends-tu ? Toute la magie de chaque signe s'y trouve aussi. Si tu l'absorbes, le savoir entier contenu dans le livre passera temporairement en toi sous une forme diluée, sans que tu aies à corrompre par les yeux ou par la bouche le texte d'origine qui, lui, n'appartient qu'aux dieux.

Bien entendu, cette explication ne me convainquit qu'à moitié. J'acceptai pourtant de boire à même la jarre.

À la première gorgée que j'avalai, je sentis une chaleur intense m'envahir la poitrine et irradier dans mon cerveau.

Je me relevai et me mis à écouter les moineaux, les loriots et les fauvettes qui jasaient dans le figuier à l'ombre duquel je m'étais installé pour écrire. Je n'en croyais pas mes oreilles : je comprenais leur langage !

Je bus encore. Une musique se mit à chanter dans ma tête, et cette musique d'une indicible beauté était faite de la voix des poissons du fleuve, des bêtes des champs, des plantes, des pierres, de tout ce qui vit et de tout ce qui est.

J'avalai une autre grande rasade de cette eau noire et je pus fixer le soleil sans être ébloui. Une autre gorgée et je contrôlai le souffle du vent, la puissance des océans et le débit des eaux du fleuve.

Quand j'eus vidé la jarre jusqu'à la dernière goutte, je ressentis dans tout mon être une telle exaltation que je crus bien que mon cœur et ma tête allaient éclater. J'avais l'impression de savoir des millions de choses sans les avoir apprises. Je n'avais plus besoin de regarder pour voir ni d'écouter pour entendre.

C'est alors que la princesse Néfer vint me rejoindre. Elle tenait Anty contre son sein et, quand elle me vit dans cet état, le visage barbouillé d'encre et les yeux hallucinés, elle eut un mouvement de recul.

En d'autres temps, je me serais préoccupé de ce qu'elle pensait de moi. Je n'eus pas à le faire. Parce que, désormais, j'avais aussi, pour mon plus grand bonheur, le pouvoir de lire dans les pensées de ma bien-aimée. Et ce que j'y lus ne put que me réjouir. L'âme de Néfer se murmurait à elle-même qu'elle m'aimait et qu'elle m'aimerait toujours, peu importe les folies que je pourrais commettre.

— Vous sentez-vous bien ? Vous avez l'air tout drôle… s'enquit la princesse.

Je la rassurai, sans lui révéler mon nouveau secret et la formidable métamorphose qui venait de se produire en moi.

Elle me sourit et je sus que ce sourire cachait l'inquiétude sourde qu'elle éprouvait en devinant d'instinct le changement qui s'était opéré en moi.

Elle n'avait pas tort, car je ressentais moi-même une sorte de vertige en pensant aux terribles responsabilités qui seraient désormais les miennes.

Suivant les conseils du sage Sennéfer, je commençai par mettre le livre en sécurité dans une cache que je fis creuser au centre de la montagne par des ouvriers aveugles que mon père dirigea en personne. J'y fis mettre également les momies et les trésors de la vallée des Rois que nous avions arrachés à la cupidité des pilleurs de tombes.

Maintenant tout était possible, et l'affrontement final entre les forces du Bien et celles du Mal pouvait débuter.

Il me fallait une armée. Je n'avais pas assez de soldats en chair et en os. Qu'importe! J'avais le pouvoir de m'en fabriquer. Comment? Je n'eus qu'à demander aux potiers et aux artisans de l'oasis et des bourgades alentour de me façonner dans l'argile des guerriers en armes grandeur nature. Ensuite, quand tous ces fantassins de terre furent alignés devant moi, boucliers au poing, lances aux pieds et dagues à la ceinture, les formules magiques qui donnent la vie me montèrent toutes seules aux lèvres:

— *Je suis l'Unique et les pouvoirs des grands dieux sont mes pouvoirs. Je suis le taureau à la corne acérée, le seigneur des levers de soleil, le grand dispensateur de lumière[76]! Au nom de Rê et des quarante-deux dieux qui règnent sur les deux mondes, que votre cœur de terre se mette à battre,*

---

76. Formules qu'on retrouve dans le *Livre des Morts* (p. 113).

que vos jambes s'animent et que vos bras s'élèvent pour louer celui qui vous a créés!

Quand je me tus, j'eus mille fantassins qui crièrent mon nom en chœur : « Séti ! Séti ! »

Et quand j'eus mille piétons[77], je demandai aux potiers et aux sculpteurs de pierre de me faire mille archers. Et j'eus mille archers qui, eux aussi, m'acclamèrent : « Séti ! Séti ! »

Et quand j'eus mille archers, je fis de la même manière mille cavaliers et deux mille chevaux fougueux attelés à mille chars de guerre. Et eux aussi, le javelot à la main, défilèrent devant moi en scandant mon nom : « Séti ! Séti ! »

Il me restait à mettre à la tête de mes troupes des généraux courageux qui connaissaient l'art de la guerre. J'en fis tailler dans le granite et fondre dans le bronze. Et j'eus des généraux durs comme le roc et forts comme le métal qui vinrent se mettre sous mes ordres, prêts à se lancer dans la bataille.

Chaque jour, je recevais maintenant des nouvelles des autres villes du pays. Partout, la révolte grondait, et Pharaon rassemblait lui aussi une armée imposante constituée pour l'essentiel d'étrangers : Syriens, merce-

---

77. Soldats qui marchent à pied.

naires libyens et hittites, guerriers féroces du royaume de Mittanni[78] qui razziaient les campagnes et exacerbaient la colère populaire. Tous les rapports qui m'étaient envoyés disaient la même chose : l'Égypte pleure. Le peuple lève les mains au ciel et implore Rê de lui envoyer un nouveau fils qui chassera les envahisseurs et renversera le trône du pharaon honni.

Je décidai donc de me mettre en route à la tête de mes troupes. Néfer eut beaucoup de chagrin à me voir partir de nouveau. Cependant, en digne fille de roi, elle n'en laissa rien paraître et, au contraire, m'aida à ajuster mon casque et à enfiler ma cuirasse couverte d'écailles de bronze[79].

— Comme tu es beau ! s'exclama-t-elle avec admiration. Que Neith et Sekhmet[80] veillent sur toi ! Que Montou, le seigneur de la guerre, se tienne à tes côtés.

J'étais moi-même très ému, car j'avais beau être investi des pouvoirs du livre, je

---

78. Royaume de l'ouest de la Mésopotamie.
79. Cette cotte de mailles égyptienne était aussi appelée « chemise de guerre ».
80. Neith, déesse armée d'un bouclier orné de flèches, était la déesse de la guerre et de la chasse. Sekhmet, la déesse lionne, était aussi une divinité guerrière. Elle protégeait Pharaon dans les combats.

savais que je restais un homme avec ses faiblesses, c'est-à-dire susceptible de commettre des erreurs. En outre, les avertissements de Sennéfer résonnaient encore à mes oreilles : « Méfie-toi, le pouvoir formidable des mots que tu as maintenant en toi ne durera pas. Il se diluera peu à peu dans ton sang et un matin, quand tu te réveilleras, il n'en restera presque rien… Les dieux seuls peuvent en décider autrement. »

De toute manière, il était trop tard pour reculer.

Un messager demanda à me voir. L'armée de Iarsou, qui s'était formée à Memphis, s'était mise en branle. Elle n'était plus qu'à une journée de Barahiya.

Je fis donc sonner les trompettes et bientôt, ma propre armée sortit en longues colonnes de l'oasis. Au son des crotales[81] et des tambours, mes soldats à pied ouvraient la marche. Monté sur mon char, je suivais derrière, à la tête de ma cavalerie qui précédait les chariots de provisions tirés par des bœufs.

Une grande foule s'était assemblée pour nous voir défiler et Néfer était au premier rang avec Anty dans les bras.

---

81. Sorte de castagnettes antiques.

Je lui fis signe. Elle me répondit de la main. Puis, nous nous enfonçâmes dans le désert.

Il s'écoula quelques heures avant que nos éclaireurs signalent les troupes ennemies. Je montai au sommet d'une haute dune pour les observer. Elles étaient innombrables et leur ligne noire hérissée de lances s'étendait à l'horizon aussi loin que mon regard pouvait porter.

Rapidement, les deux armées furent assez proches l'une de l'autre pour que je puisse voir les visages de ceux que nous allions devoir affronter. Ils avaient des trognes effrayantes et la plupart portaient des barbes frisées. Beaucoup riaient ou nous adressaient des gestes obscènes. Mes généraux se regroupèrent autour de moi pour écouter mes ordres.

Je fis aligner mes archers en groupes compacts. Les arcs de bois et de corne à double courbure se tendirent et une nuée de flèches s'abattit sur l'ennemi. Puis, mes « garçons aux bras forts[82] » se jetèrent dans la mêlée en brandissant leurs épées et leurs lourdes haches de guerre. Le corps à corps fut terrible. Les

---

82. Les nakhtu-aa, ou « garçons aux bras forts », constituaient l'infanterie lourde de l'armée égyptienne.

lames de bronze cognaient sur les boucliers de bois couverts de cuir ou sur les carapaces de tortue qui en tenaient lieu. Elles tranchaient des gorges, s'enfonçaient dans des ventres. Un véritable bain de sang. Autour de moi, les chevaux des chars piaffaient d'impatience, et quand je vis que mes soldats risquaient d'être débordés par la cavalerie adverse, je lançai à mon tour mes chars de guerre, qui se ruèrent avec force dans un nuage de poussière.

Mon propre équipage filait à un train d'enfer et mes coursiers galopaient plus vite que le vent. L'aurige[83] qui tenait les guides de mon char me cria :

— Regardez, Seigneur, juste devant nous : le porte-étendard de Iarsou. Pharaon est là, sur la colline ! Dans le char attelé de chevaux noirs !

Je lui commandai aussitôt de foncer dans cette direction. Roulant sur les cadavres et piétinant ceux qui voulaient me barrer le passage, mon char ouvrit une brèche sanglante dans les rangs des Mashaouash[84] et

---

83. Conducteur de char.
84. Tribu libyenne réputée pour les mercenaires qu'elle fournissait.

des Nubiens de la garde personnelle de Pharaon.

Iarsou était maintenant si proche de moi que je pouvais voir la peur sur son visage. Je sortis mon arc et lui décochai quatre flèches à la suite. L'une d'elles le toucha, et je le vis grimacer de douleur avant de tourner bride et de s'enfuir.

J'intimai l'ordre à mon conducteur de char de nous lancer à sa poursuite. Il me répondit :

— Seigneur, c'est inutile. Regardez, le soleil est en train de se coucher. Il va nous échapper à la faveur de la nuit.

Il voyait juste. Déjà, un mur de ténèbres s'avançait dans notre dos et était sur le point de nous envelopper.

Il ne fallait pas que cela soit.

Je fermai les yeux et récitai les mots du livre :

— *Ô Rê, dieu puissant. Ô toi qui as des millions d'âmes à ta merci ! Ô toi qui tiens la barre de la barque du soleil, ralentis ta course ! Ne passe pas tout de suite les portes secrètes de l'Ouest !*

Alors se produisit ce qui jamais ne s'était produit : les ténèbres reculèrent. Le soleil, immobile, retrouva son éclat et continua d'éclairer le champ de bataille, semant l'effroi parmi les soldats de Pharaon qui, à la vue de ce prodige, jetèrent leurs armes et commencèrent à se disperser en hurlant de terreur.

Comme de raison, Iarsou avait, lui aussi, été témoin du miracle, et je pouvais lire dans ses pensées. Il était perdu et il le savait, se raccrochant à un seul espoir : la vigueur de ses chevaux qui, crinière au vent, entraînaient son char à une vitesse folle.

Mon aurige se désola :

— Seigneur, il est trop rapide, nous ne le rattraperons jamais !

Je devais l'arrêter à tout prix. Je saisis donc un des javelots qui se trouvaient dans le carquois fixé à la nacelle de mon char et j'invoquai à nouveau le puissant Rê, avant de lancer l'arme de toutes mes forces. Le javelot vola en sifflant et alla se planter droit entre les épaules du fugitif, qui chancela avant de basculer hors de son véhicule.

— Joli coup ! exulta mon compagnon en sautant lui-même à bas de notre char.

— Arrête ! lui criai-je.

Mais avant que j'aie pu esquisser un geste pour l'en empêcher, l'homme avait déjà sorti sa dague et décapité Iarsou.

Tout s'était passé si vite que j'avais encore de la difficulté à me rendre compte que nous étions victorieux et que tout était fini.

Mon aurige, entre-temps, était remonté dans le char et avait fixé son sinistre trophée à la pointe d'un autre javelot. Dix minutes plus tard, nous réapparaissions sur le champ de bataille. Quelques éléments des troupes royales continuaient à se battre farouchement, mais lorsque les mercenaires virent la tête ensanglantée de Pharaon s'agiter à l'extrémité de la lance, ils perdirent tout courage et se replièrent en désordre.

— Victoire ! Victoire ! Gloire à Séti ! hurlèrent mes soldats en s'écartant devant mon char. Ils rayonnaient de joie. Mais moi, je ne voyais que tout ce sang qui rougissait le désert…

Le soleil avait repris son cours et, bientôt, la nuit tomba. Je fis dresser nos tentes et allumer des feux. Du vin fut distribué et les soldats fêtèrent jusqu'à tomber ivres de boisson et de fatigue.

Je ne dormis pas et le lendemain, à l'aube, j'exigeai qu'on creusât des fosses dans le sable et qu'on y enterre les défunts. Bien qu'un peu réticents, mes hommes firent ce que je demandais. Il était temps. Les vautours avaient

commencé à dépecer les cadavres et je remar-
quai que presque tous les corps avaient subi
la même mutilation. Il leur manquait la main
droite. J'en informai un de mes généraux.
Celui-ci ne put s'empêcher de sourire et me
désigna un des scribes que mon père avait
engagé pour nous accompagner.

Le fonctionnaire était assis devant un
immense tas de mains coupées qu'il mettait
une à une dans un sac en prenant des notes
sur le papyrus étalé sur ses genoux.

— Que fait-il ? m'étonnai-je.

— Il compte les morts.

VII

Voyage au royaume
des morts

La nouvelle de notre éclatante victoire s'était propagée dans toute l'Égypte et c'est une entrée triomphale qui m'attendait dans ma ville natale de Bubastis. La princesse et Sennéfer s'étaient joints au cortège, et j'avais également tenu à ce qu'Anty, ma brave chatte, soit du spectacle.

Mon intention d'ailleurs était, sitôt mon armée démobilisée, d'aller porter de généreuses offrandes à la déesse Bastet qui m'avait, j'en étais sûr, si bien assisté.

Ce que je fis dès le retour de Sothis[85] en me présentant en grand équipage au bout de

85. Sirius, la plus brillante des étoiles dans le ciel de l'Égypte, était associée à un dieu dont le retour, après soixante-dix jours d'occultation, marquait le jour de l'an (17 ou 19 juillet).

l'allée de sphinx menant au temple de la bonne déesse. Couvert d'or et vêtu de sa plus belle robe de lin, le grand prêtre Sethnakht nous attendait, entouré de l'ensemble de son clergé. Il savait que sa dignité de ministre des dieux le mettait hors d'atteinte de la justice des hommes et lui assurait une entière immunité.

Accompagné d'esclaves qui agitaient leurs chasse-mouches de plumes d'autruche, il vint au devant de nous dans un concert de tambourins, de claquoirs[86] et de sistres. C'est avec un certain dégoût que je le vis s'incliner devant la princesse et se prosterner devant moi.

Le temple, en mon absence, s'était considérablement agrandi en s'ouvrant au culte d'autres animaux sacrés. Ici, on adorait désormais le taureau Apis. Là, dans ce sanctuaire de pierre rose, on vénérait Thouëris, la bedonnante déesse hippopotame à pattes de lion, protectrice des femmes qui viennent d'accoucher. Enfin, dans ce vaste bassin creusé de mains d'hommes, on nourrissait les crocodiles sacrés dédiés à Sobek.

---

86. Planchettes de bois en forme de main qui servaient d'instruments de percussion.

Toujours aussi hypocrite, le grand prêtre était tout miel et agissait comme si nous n'étions pas au courant de ses exactions et de la part active qu'il avait prise aux crimes du défunt vizir et du pharaon vaincu.

Il ignorait visiblement qu'on n'offense pas impunément les dieux qu'on est supposé servir et que, parfois, la vengeance de ceux-ci prend un tour inattendu.

En effet, dans sa tentative de s'attirer nos faveurs, Sethnakht n'avait pas été sans remarquer l'affection que la princesse et moi-même manifestions pour notre chatte. Naturellement, à la première occasion, il chercha à caresser l'animal, qui ne nous quittait jamais. Mais, dès qu'il approcha la main, Anty se mit à grogner. Quand l'imprudent la toucha, la chatte, non seulement le griffa au sang, mais lui sauta au visage.

Sethnakht émit des hurlements en repoussant l'attaque de son mieux.

— Ah ! La sale bête ! Au secours !

Mais Anty continua à labourer le visage de sa victime qui, à demi aveuglée, parvint enfin à se libérer et à se sauver en courant.

La fosse aux crocodiles n'était pas loin.

Néfer cria :

— Attention !

Sethnakht n'entendait rien. Ma chatte, qui le poursuivait, était dans ses jambes. Il voulut lui décocher un coup de pied, perdit l'équilibre et tomba dans l'eau...

Il y eut un grand remous et des éclaboussures. Des appels désespérés, puis plus rien. L'eau se teinta de rouge.

Sethnakht, grand prêtre de Bastet, avait vécu.

Dans les mois qui suivirent, je parcourus les deux Terres, de la mer au pays de Koush[87], et du désert occidental à la péninsule du Sinaï. Toutes les richesses thésaurisées au fil des années par le pharaon et ses comparses, je les distribuai au peuple avec largesse, ouvrant les greniers royaux aux affamés et notre palais aux déshérités.

Grâce au livre, j'obtins cette année-là « un bon Nil », et les récoltes de blé et d'orge dépassèrent les espérances. Les pêcheurs remontèrent des poissons à pleins filets. Les vaches se remirent à vêler et les enfants n'eurent plus faim.

Partout où j'allais, on m'accueillait comme si j'étais le nouveau pharaon, et j'avais beau dire aux paysans que je n'étais pas le roi,

---

87. Le Soudan.

ceux-ci continuaient de s'allonger à plat ventre devant moi dès que je les recevais pour écouter leurs doléances.

Je pris alors une décision difficile. Je ne pouvais légitimement exercer un pouvoir que je venais d'arracher à un imposteur qui se l'était lui-même approprié. Néfer, trop jeune, ne pouvait régner seule. Il n'y avait qu'une solution : effacer toutes les années de misère et de désordre qui s'étaient écoulées depuis la mort du grand Ramsès, reprendre le cours de l'Histoire où il avait été injustement inter-rompu… Et pour cela, je devais ramener les personnes qu'il fallait du royaume des ombres.

J'en informai mon père et, pour la pre-mière fois, Sennéfer refusa de me donner un conseil sur le sujet, ajoutant simplement :

— À l'exception de la grande Isis, même les dieux n'ont jamais osé faire cela… Vas-tu en parler à la princesse ?

— Non. Si j'échoue, elle pourrait m'en vouloir à jamais.

Pour exécuter ce que j'avais dessein d'accomplir, je m'entourai donc du plus grand secret.

Dans un premier temps, je dus trouver deux hommes de confiance qui acceptèrent d'ouvrir la cache royale de Barahiya, que j'avais moi-même rendue inaccessible quelque temps auparavant. Puis, j'en sortis les cercueils des parents de la princesse que je transportai de nuit dans une mastaba[88] abandonnée, non loin du palais.

Mes ordres étaient formels : nul n'était autorisé à se tenir dans les parages à moins de deux cents coudées et personne ne devait intervenir, quoi qu'il se produisît, dans les vingt-quatre heures à venir.

Là, à l'abri des regards et avec tout le respect que m'inspiraient les souverains décédés, j'ouvris les deux boîtes dorées dans lesquelles je les avais fait réinstaller. Leurs momies apparurent telles que je les avais vues l'année précédente, lorsque je les avais arrachées des griffes des pillards. Ce tableau me remplit d'effroi mais, après un moment d'hésitation, je me remis à l'ouvrage, coupant à l'aide de mon poignard bien affilé les premières bandelettes enserrant Ramsès-Siptah.

Bientôt, je réussis à dénuder entièrement le cadavre desséché du roi, presque réduit à l'état de squelette sur lequel était tendue une enveloppe de peau brunâtre de laquelle émanait une forte odeur. J'opérai de même

---

88. Tombeau individuel en forme de pyramide tronquée.

avec la reine Mérytamon qui, au-delà de la mort, était toujours aussi belle.

À la lumière des lampes à huile, les deux corps que j'avais dressés debout contre le mur d'autel de la tombe semblaient dormir et, encore une fois, je me demandai si j'avais le droit de troubler ce sommeil majestueux.

Je continuai malgré tout en entonnant d'une voix forte une série de conjurations, afin d'écarter toute influence maléfique et de me permettre de poursuivre mon audacieuse entreprise. Les mots magiques qui s'étaient mêlés à mon sang se reformaient sur mes lèvres sans même que j'aie à y penser et résonnaient étrangement dans la pièce. Ils composaient une longue et envoûtante litanie qui ne s'interrompait que pour me laisser le temps d'allumer des bâtonnets d'encens et d'oindre les visages du roi et de la reine d'huile aromatisée.

Je m'aperçus alors que les bouches des deux défunts n'étaient pas suffisamment ouvertes[89]. Il me fallut donc, malgré ma répugnance, leur forcer les mâchoires pour qu'elles béent davantage.

---

89. L'ouverture de la bouche faisait partie du rituel de la mort. Elle permettait à l'âme de venir réhabiter le corps du défunt pour revivre dans l'autre monde.

Alors seulement, je pus réciter les dernières formules qui, je l'espérais, allaient réaliser l'impensable :

— *Ô grand roi ! Ô grande reine ! Qu'Osiris replace votre cœur dans votre poitrine ! Que Sothis vous baise le front ! Que Neith vous peigne les cheveux ! Qu'Horus vous ôte le poids de la mort des épaules ! Que la grande Isis*[90] *qui, elle aussi, fit revenir son frère du royaume des morts, ranime vos membres ! Que le souffle du kâ habite de nouveau votre corps terrestre ! Que par le pouvoir du livre, Rê vous laisse quitter sa barque et que par une grâce sans précédent, d'immortels que vous étiez devenus, il refasse de vous des mortels de chair et de sang !*

À cet instant, les flammes des lampes furent toutes soufflées en même temps et la pièce fut balayée par un courant d'air glacé.

Dans les ténèbres de la tombe, j'entendis des râles et des claquements d'os, puis, un bruit d'inspiration prolongée qui ressemblait à celle d'un nageur revenant à la surface après avoir failli se noyer.

---

90. Seth avait tué son frère Horus et l'avait démembré. Isis, sa femme et sa sœur, retrouva tous les morceaux, à l'exception du pénis. Par magie, elle les remit ensemble pour ressusciter le défunt.

Il y eut ensuite un long silence qui fit place à des halètements et à des sanglots. Puis, une voix caverneuse s'éleva :

— Qui a eu l'audace de venir déranger notre repos éternel ? Que voulez-vous de nous, ô mortels ?

Paralysé par la peur, je laissai cette question sans réponse.

Une autre voix… une voix de femme, celle-là, souffla :

— C'est vous, mon époux ? Que se passe-t-il ? Je sens à nouveau ma peau. Elle est douce et chaude. Les parfums caressent ma narine. Le sang afflue à mes joues. Il soulève mon sein. Serait-ce possible ? Mon époux, serions-nous revenus à la vie ?

À cet instant précis, les lampes se rallumèrent, et ce que je vis me fit tomber à genoux et baisser le front jusqu'au sol.

J'avais devant moi le grand Ramsès-Siptah, tout habillé et couronné avec, à ses côtés, la souveraine resplendissante de jeunesse, maquillée et couverte de bijoux. Le roi et la reine semblaient sortis du passé dans toute leur majesté comme au temps où, enfant, je les voyais passer devant la maison de mon père, dieux vivants acclamés par le peuple entier.

Quand je repris mes sens, Pharaon était toujours là, immobile, me toisant d'un regard sévère. Il me demanda :

— Qui es-tu ?

— Je suis Séti, Votre Majesté.

Il voulut savoir comment le miracle de sa réincarnation avait pu se réaliser. Il écouta mes explications et me demanda aussitôt pour quelle raison, grâce à la magie du livre, j'avais exigé du dieu suprême l'extrême faveur de les ramener, lui et son épouse, du royaume des morts. Je lui brossai alors un tableau très sombre de l'Égypte qui, depuis sa disparition terrestre, criait misère.

— Si l'infâme Iarsou ne vous avait pas enlevé la vie, nous aurions eu droit à des années de paix et de prospérité sous votre autorité bienveillante. Ce sont ces années volées que je veux vous restituer, afin que vous rameniez l'équilibre sur votre terre et renouiez le fil rompu de la lignée royale…

Ramsès ne broncha pas et continua de me fixer.

— Et toi, puisque tu en avais le pouvoir, pourquoi n'es-tu pas monté toi-même sur le trône de Rê ?

— Moi, Majesté ? m'écriai-je. Mais je ne suis qu'un humble scribe. Je ne peux à moi seul assumer ce lourd fardeau. Tout est à refaire. Les temples à rebâtir. Les coffres de l'État et les greniers à remplir. Les terres à redistribuer. Il faut de plus assurer la succession en mariant la princesse Néfer à un homme digne d'elle. Bref, restaurer l'Égypte dans toute sa grandeur. Vous seul pouvez accomplir cette tâche. Vous devez achever votre règne interrompu.

Pharaon m'écouta en hochant la tête avec gravité. Puis, il prit son épouse par la main et dit :

— Tu as bien fait. Conduis-nous vers la lumière !

VIII

Un amour éternel

La première chose que Ramsès et Mérytamon me demandèrent, une fois réinstallés dans leur palais, fut de revoir leur fille adorée. Je le leur promis et fis convoquer toute la noblesse de l'Empire, tout le clergé et tous les dignitaires qui n'avaient pas trempé dans les sombres complots de Iarsou et sa bande. Néfer fut également prévenue qu'une fête somptueuse se préparait pour célébrer le retour de l'ordre et de la justice sur les terres de son père et de sa mère.

Elle vint me trouver pour en savoir davantage. Je me contentai de lui dire :

— Il faut que vous vous fassiez belle et que vous vous prépariez à un événement qui risque à la fois de vous inonder de bonheur et de vous remplir d'épouvante.

Cette déclaration pleine de sous-entendus mystérieux ne fit, bien sûr, qu'aviver sa curiosité. Mais elle se soumit tout de même à ma demande.

Quelques heures plus tard, lorsqu'elle fit son entrée dans la grande salle hypostyle[91] du palais, tous les regards se tournèrent vers elle, tant elle resplendissait sous sa couronne ornée d'un disque d'or.

Au fond de la salle, j'avais fait installer deux magnifiques fauteuils de bois précieux. Chacun, bien entendu, se demandait à quels illustres visiteurs ils étaient destinés.

Je m'avançai à la rencontre de Néfer et la conduisis devant les deux sièges vides. Elle me jeta un regard interrogateur.

— Princesse, lui dis-je, si j'avais le pouvoir d'exaucer votre vœu le plus cher, qui voudriez-vous voir assis là, devant vous, en cette heure de liesse ?

Je lus dans ses pensées que cette question lui causait du chagrin, car elle rouvrait une vieille blessure. La réponse pour elle était évidente.

---

91. Salle dont le plafond est soutenu par des colonnes.

— Mes parents, bien sûr… murmura-t-elle, mais à quoi sert de me demander cela ? Vous êtes cruel…

Je ne voulais pas faire durer le supplice plus longtemps et je fis signe aux gardes qui encadraient la porte voisine d'ouvrir celle-ci.

— Eh bien, princesse, réjouissez-vous. Vos parents, les voici !

Soudain, toute pâle, Néfer tourna la tête. Lorsqu'elle vit son père portant les insignes royaux et la reine, sa mère, qui lui tendait les bras, elle poussa un grand cri et s'évanouit.

Bien des années ont passé, depuis ce jour mémorable.

Ramsès-Siptah régna plus de trente ans avec sagesse, et chaque jour de la nouvelle vie que lui avaient accordée les dieux, il le consacra au bien de son peuple. La reine aussi mit toute son énergie à semer le bonheur autour d'elle. Elle fit dresser des statues à Isis, Hathor et Bastet. Elle charma les ambassadeurs étrangers. Elle obtint qu'on ferme les mines et qu'on affranchisse les esclaves. Elle aménagea de splendides jardins où chacun pouvait admirer les gazelles et les girafes qui s'y promenaient en liberté.

Mais, hélas ! le livre ne leur avait donné qu'un supplément de vie et, comme tous les humains, la vieillesse les rattrapa de nouveau, si bien que, sereinement, ils durent bientôt se préparer à leur seconde mort.

Alors Ramsès me fit venir. Malgré les apparences, le poids des ans m'accablait moi aussi. Mon père avait été le premier à nous quitter, et je lui avais succédé à la tête des scribes de la maison royale. Puis, à son tour, Anty nous causa un grand chagrin en disparaissant un jour, tout aussi mystérieusement qu'elle était apparue dans nos vies…

Pharaon m'invita à m'asseoir devant lui.

— Séti, me dit-il, je sais que tu as refusé de devenir mon grand vizir. Je te considère comme un fils. Le fils que Rê m'a refusé. Eh bien, je veux que tu me promettes quelque chose.

— Je suis à vos ordres, Majesté.

— Je désire qu'à notre mort, tu replaces mon corps et celui de la reine exactement à l'endroit où tu es venu les chercher.

— C'est promis, Majesté.

— Ce n'est pas tout. Lorsque je serai remonté à bord de la barque solaire, je souhaite que ce soit toi qui me succèdes et portes la double couronne. Je veux que tu épouses ma fille Néfer, qui d'ailleurs se languit d'amour pour toi depuis si longtemps et à laquelle, par grandeur d'âme, tu as renoncé.

C'est ainsi que je devins moi-même pharaon et connus aussi trente années de bonheur auprès de ma bien-aimée. Trente ans qui ne furent entachés que par un souci permanent dans lequel je crus voir une sorte de punition divine. Cette pensée obsédante qui me plongeait régulièrement dans un état de profonde dépression était la suivante : la magie du livre de Thot m'avait donné de tels pouvoirs qu'elle avait tué en moi tous les désirs, car je n'avais qu'à souhaiter une chose pour qu'elle survienne aussitôt. De ce fait, elle m'avait également condamné à la solitude. Une solitude que seule la princesse Néfer parvenait à soulager. Bonheur fragile qui lui-même fut bientôt troublé par un rêve.

Dans ce rêve, le panthéon entier de nos divinités était assemblé. Thot, sous sa forme mi-homme, mi-ibis, faisait office de juge. Il était fâché contre moi.

— Séti m'a volé mon livre. Un crime inexpiable qui mérite un châtiment terrible.

D'autres dieux n'étaient pas d'accord. Bastet prit ma défense.

— Non, il a plutôt *sauvé* le livre. Grâce à lui, le peuple d'Égypte célèbre de nouveau nos cultes dans les temples. Nos autels croulent sous les offrandes. Sans lui, qui sait si nous existerions encore ? Vous connaissez la prédiction d'Anubis, l'homme chacal : *Un jour, la terre d'Égypte ne sera plus qu'une mer de sable semée de ruines et de sépulcres vides…*

La dispute était vive, et c'est Horus qui trancha en proposant qu'on m'accorde en récompense de vivre trois mille ans. Privilège qui me serait concédé sous la forme de plusieurs vies au cours desquelles je ne serais touché ni par la maladie ni par la vieillesse.

— Mais le livre ? protesta Thot, qui s'en occupera ?

— Séti en sera le gardien, ajouta le dieu faucon. Le livre ne peut plus nous revenir. Il fait maintenant partie du monde des humains.

C'est Néfer qui me réveilla au milieu de ce cauchemar. Elle me secoua.

— Réveille-toi, Séti. À qui songeais-tu ?

Je la pris dans mes bras.

— À rien. Rendors-toi.

Mais ce rêve continua longtemps à me hanter. Quand Néfer eut ses premiers cheveux blancs, je lui empruntai un de ses miroirs et cherchai dans ma propre chevelure cette première marque du temps. Je ne la trouvai pas. Même chose quand apparurent les premières rides sur son beau visage.

Plus les années passaient, plus le jugement rendu par les dieux à mon sujet devint une triste évidence. Néfer vieillissait de plus en plus, courbée sous le poids des ans, percluse de rhumatismes, chaque année plus fragile. Moi, je conservais une insolente jeunesse.

Vint le temps où presque tous ceux que j'aimais encore commencèrent à quitter ce monde un à un. Expérience d'autant plus pénible que chaque jour, je devais vivre avec l'idée insupportable que je leur survivrais tous. J'allais bientôt me retrouver absolument seul avec des siècles de souvenirs douloureux pour unique richesse.

Pendant des années, je cherchai à échapper à cette triste fatalité, sachant que Néfer elle-même, un jour, allait me quitter. Y avait-il un moyen de repousser cette terrible échéance ? Donner une seconde vie à Néfer comme je l'avais fait pour ses parents ? J'y songeai, mais ce n'était pas possible. J'avais déjà obtenu une fois que les dieux entrouvrent les portes du royaume des morts. Je savais qu'ils ne permettraient pas que je perturbe de nouveau les lois immuables qui régissent l'existence humaine.

Pour trouver un peu de réconfort, je lus alors tous les papyrus que m'avait légués mon père : le *Livre des Morts,* les sentences et les recueils de pensées des plus grands esprits de l'ancienne Égypte, les écrits des mages chaldéens et ceux des sages d'Orient. J'y appris que, lorsque des êtres se sont aimés sur terre d'un amour sans nuages, il arrive parfois qu'après leur mort, leurs âmes éplorées ne retournent pas dans leur propre corps momifié pour savourer la béatitude éternelle du monde de l'au-delà. Ces âmes errantes voyagent plutôt à travers les siècles et renaissent dans différents corps, tout en gardant un souvenir confus de leurs vies antérieures. Elles passent alors toutes ces existences à se chercher et peuvent prendre des milliers d'années avant de se retrouver.

Néfer tomba malade peu après. J'eus beau avoir recours à la magie du livre et faire venir les meilleurs médecins du monde, son état s'aggrava de jour en jour.

Assis à son chevet, je lui tenais la main. J'avais veillé à ce qu'elle ne souffre pas en lui préparant moi-même des potions puissantes qui endormaient son mal. Elle n'avait pas peur de la mort et s'inquiétait surtout pour moi.

— Séti, j'ai tant de peine de te laisser. Tu es si jeune !

En la voyant si frêle et si amaigrie, je n'avais pas le cœur de lui rappeler que j'étais aussi vieux qu'elle. Je préférais la rassurer en lui faisant part de mes dernières lectures.

Elle hocha simplement la tête, et je sus qu'elle ne me croyait pas. J'insistai.

— Néfer, crois-moi, nous nous reverrons. Dans une autre vie, dans plusieurs vies… Tu seras différente… et tu seras la même. Tu ne te souviendras peut-être plus très bien de moi, mais où que tu sois, qui que tu sois, je te retrouverai. Je te le jure.

Elle ferma les yeux et pressa le bout de mes doigts entre les siens.

Elle était morte !

Comme il se doit, je confiai son corps aux embaumeurs royaux et je le fis placer dans un cercueil d'or qui avait sa forme et son visage. Puis, en grand secret, je conduisis en personne le cortège funèbre jusqu'à l'oasis et à la tombe cachée de Barahiya. Rien, dans la cache, ne semblait avoir été dérangé. Les sceaux n'avaient pas été touchés. Le sarcophage d'albâtre que j'y avais fait installer pour servir de lit de repos à la princesse, et plus tard à moi-même, était là également. Après avoir embrassé une dernière fois le masque d'or qui lui couvrait le visage, j'y couchai Néfer, ma bien-aimée. Il ne me restait plus qu'à me retirer et à espérer que je ne m'étais pas trompé et que ce que j'avais lu à propos de la transmigration des âmes était exact.

Avant de quitter le tombeau, je tins cependant à vérifier une dernière chose. Plusieurs décennies auparavant, j'avais enfermé l'original du livre de Thot dans une niche de pierre que j'avais creusée à même les parois de la montagne et cette niche, je l'avais murée, plâtrée soigneusement et recouverte d'une fresque qui dissimulait le tout. Moi seul en connaissais l'emplacement.

Je ne doutais pas que le livre était désormais en sécurité. C'est donc par simple acquit de conscience que j'allai jeter un coup d'œil à l'endroit où était caché ce trésor inestimable.

Or, ce que je découvris me pétrifia.

À la place de la niche, il n'y avait plus qu'un trou béant. Vide !

Quelqu'un avait VOLÉ LE LIVRE !

TABLE DES MATIÈRES

Daniel Mativat

Né le 7 janvier 1944 à Paris, Daniel Mativat a étudié à l'école normale de Versailles et à la Sorbonne avant d'obtenir une maîtrise ès arts à l'Université du Québec avec un mémoire portant sur le personnage du diable dans les contes fantastiques québécois. Il détient également un doctorat en lettres de l'Université de Sherbrooke et a enseigné le français pendant plus de 30 ans tout en écrivant une quarantaine de romans pour la jeunesse. Il a été trois fois finaliste pour le prix Christie, deux fois pour le Prix du Gouverneur Général du Canada et une fois pour le prix TD de littérature canadienne pour l'enfance et la jeunesse. L'auteur habite aujourd'hui Laval.

COLLECTION CHACAL

Ce livre a été imprimé
sur du papier enviro 100 % recyclé.

Empreinte écologique réduite de :
Arbres : 38
Déchets solides : 1 108 kg
Eau : 104 779 L
Matières en suspension dans l'eau : 7,0 kg
Émissions atmosphériques : 2 432 kg
Gaz naturel : 158 m^3

Ensemble, tournons la page sur le gaspillage.

    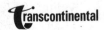